Einaudi

© 2023 Giulio Einaudi editore s.p.a., Torino

www.einaudi.it

ISBN 978-88-06-25324-0

Beatrice Salvioni
La Malnata

Einaudi

La Malnata

Alla bambina che ero.
E, soprattutto, a coloro che mi hanno insegnato
a non smettere mai di ascoltare la sua voce.

Prologo
Non dirlo a nessuno

È difficile levarsi di dosso il corpo di un morto. Lo scoprii a dodici anni, con il sangue che mi colava dal naso e dalla bocca e le mutande attorcigliate intorno a una caviglia. I ciottoli della riva del Lambro mi premevano contro la nuca e il sedere nudo, duri come unghie, la schiena era affondata nel fango. Il corpo di lui mi pesava sulla pancia, pieno di spigoli e ancora caldo. Aveva gli occhi lucidi e vuoti, la saliva bianca sul mento e la bocca aperta che mandava un odore cattivo. Prima di cadere mi aveva guardato con la paura che gli contraeva la faccia, una mano ficcata nelle mutande e le pupille dilatate e nere che sembravano sciogliersi fino a colare sulle guance.

Era crollato in avanti, le sue ginocchia mi premevano ancora sulle cosce che aveva tenuto aperte. Non si muoveva piú.

– Volevo solo che la smettesse, – disse Maddalena. Si toccava la testa lí dove il sangue e il fango si erano rappresi in un grumo di capelli aggrovigliati. – L'ho dovuto fare per forza.

Si avvicinò, il vestito leggero le si era incollato alla pelle fradicia e le disegnava netti i contorni del fisico asciutto, nervoso. – Vengo, – disse. – Stai ferma.

Ma io a muovermi non c'ero ancora riuscita: il mio corpo era diventato una cosa dimenticata e lontana, come un dente caduto. Sentivo solo tra le labbra e sulla lingua il sapore del sangue e a respirare facevo fatica.

Maddalena si lasciò cadere carponi, i ciottoli scricchiolarono sotto le sue gambe nude. Aveva i calzini inzuppati e le mancava una scarpa. Si mise a spingere con entrambe le braccia contro il busto di lui, usò i gomiti, poi la fronte. Continuò a sforzarsi, ma non riusciva a spostarlo.

Da morte le cose pesano di piú, come quel gatto nel cortile di Noè, pieno di terra, con le budella vischiose e un pugno di mosche che gli mangiavano il muso e gli occhi. L'avevamo seppellito insieme dietro il recinto delle oche.

– Da sola non ce la faccio, – disse Maddalena. I capelli incollati alla faccia gocciolavano sui sassi. – Devi aiutarmi.

La sua voce mi sciabordò dentro la testa, sempre piú forte. A fatica feci sgusciare un braccio da sotto il corpo di lui, poi l'altro. Premetti i palmi sul suo petto e spinsi. Sopra di noi c'era l'arco del ponte e un ritaglio di cielo torbido, sotto, i ciottoli bagnati e scivolosi. Intorno, il rumore del fiume.

– Devi spingere tutto d'un colpo.

Feci come mi aveva detto. Se prendevo fiato inspiravo il sapore languido e dolce dell'acqua di colonia di quell'uomo.

Maddalena mi guardò e disse: – Adesso.

Spingemmo insieme, io lanciai un grido, mi inarcai e di colpo lui si scollò. Piombò sulla schiena, accanto a me, gli occhi sbarrati, la bocca spalancata e i pantaloni abbassati. La fibbia della cintura tintinnò contro i sassi.

Non appena fui liberata da quel peso mi rivoltai su un fianco, sputai saliva rossa in mezzo ai ciottoli, strofinai le dita sulle labbra e le narici per cancellare il suo odore. Per un istante mi mancò l'aria, poi rannicchiai le gambe e provai a respirare. Le mutande avevano l'elastico rotto, la stoffa stracciata, bucata dal tallone. Scalciai con rabbia per sfilarmele via e mi coprii con la gonna, che si era aggrovigliata oltre l'ombelico. Avevo il ventre freddo e tutto era un dolore.

Maddalena si sollevò, si pulí dal fango sfregandosi i palmi sulle cosce. – Stai bene? – chiese. Mi succhiai il labbro e annuii. Avevo in gola una diga sul punto di cedere. Ma non piangevo. Me l'aveva insegnato lei. Piangere era da idioti.

Maddalena si scostò i capelli appiccicati alla fronte. Aveva gli occhi piccoli e duri. Indicò il corpo e disse: – A spostarlo non ci riusciamo, – si leccò il sangue che si era raccolto sotto al naso, – dobbiamo nasconderlo qui.

Mi alzai per andarle vicino. Non mi reggevo in piedi, la suola di cuoio delle scarpe mi faceva scivolare. Mi aggrappai a lei, le strinsi le dita intorno al polso. L'odore del fiume copriva ogni cosa. Maddalena tremava, ma non per la paura. Maddalena non aveva paura di niente. Né del cane con le gengive gonfie e la schiuma fra i denti del signor Tresoldi, né della gamba del diavolo che scende dal camino nella storia che raccontavano i grandi. E nemmeno del sangue o della guerra.

Tremava perché si era infradiciata quando lui l'aveva afferrata per i capelli trascinandola oltre la riva mentre lei scalciava e gridava. Per farla stare zitta le aveva tenuto la testa nell'acqua e per tutto il tempo aveva cantato, con una voce ruvida come quelle alla radio: «Parlami d'amore Mariú. Tutta la mia vita sei tu».

– Dobbiamo trovare dei rami, – disse Maddalena, – rami robusti –. Ma non la finiva di fissare quella figura immobile, tutta sporgenze e cavità, che fino a poco prima mi aveva stretto i polsi e ficcato la lingua in bocca: mi sembrava di sentirla ancora, e addosso le dita e il respiro di lui. Volevo solo mettermi a dormire. Lí, in mezzo ai sassi e al rumore dell'acqua, ma Maddalena mi toccò una spalla e disse: – Conviene che ci sbrighiamo.

Facemmo rotolare il corpo giú dalla riva, lo trascinammo fino a uno dei piloni del ponte, lasciandolo appallottolato contro il muro che trasudava umidità. Aveva i gomiti rivoltati, le dita rigide e la bocca aperta. Non c'era piú nulla nel suo viso a ricordare il ragazzo che era: elegante e sfrontato, con i calzoni lunghi dalla piega diritta, la spilla col fascio e il tricolore, che si lisciava i capelli col pettine di tartaruga e ripeteva ridendo: «Voi non siete niente».

Raccogliemmo i rami che il fiume incastrava nell'arenile quando c'era la piena, tra i nidi delle anatre e i canali di scolo; li disponemmo su quel corpo mezzo affondato nell'acqua. Accatastammo pietre e radici perché nemmeno la piena potesse portarlo via.

– Dobbiamo chiudergli gli occhi, – disse Maddalena lasciando cadere l'ultimo sasso, grosso quanto un pugno. – È cosí che si fa con i morti. L'ho visto fare.

– Io non lo voglio toccare.

– Va bene. Lo faccio io –. Appoggiò il palmo su quella faccia sbiancata e usò medio e pollice per abbassargli le palpebre.

Con gli occhi chiusi e la bocca aperta, con tutti quei rami e quelle pietre che lo coprivano, sembrava qualcuno che nella notte viene sorpreso da un incubo, ma non riesce a svegliarsi.

Ci strizzammo le gonne e le calze. Maddalena si tolse la scarpa che le rimaneva, se la ficcò in tasca. Io feci lo stesso con le mie mutande: uno straccio molle di fango che raccolsi da terra.

– Adesso però devo andare, – disse.

– E quando ci vediamo?

– Presto.

Mentre camminavo verso casa, con le calze che cigola-
vano dentro le scarpe, ripensavo al tempo in cui niente era
ancora cominciato. Neanche un anno prima la mia gonna
era asciutta e senza stropicciature, premevo la pancia sulla balaustra del ponte dei Leoni per guardare Maddalena
da lontano e l'unica cosa che sapevo di lei era che portava
disgrazie. Non avevo ancora imparato che bastava una sua
parola per decidere se meritavi di essere salvato o ucciso,
di tornare a casa con le calze zuppe o di restare a dormire
per sempre con la faccia affondata nel fiume.

Parte prima

Dove inizia e finisce il mondo

I.

La chiamavano la Malnata e non piaceva a nessuno. Dire il suo nome portava sfortuna. Era una strega, una di quelle che ti appiccicano addosso il respiro della morte. Aveva il demonio dentro e con lei non ci dovevo parlare. La guardavo da lontano la domenica, quando mamma mi infilava le scarpe che tagliavano i talloni, le calze piene di grumi e il vestito buono che dovevo stare attenta a non sporcare. Il sudore mi scendeva dietro al collo e il continuo sfregare mi arrossava le cosce.

La Malnata era giú al Lambro insieme ai maschi, due ragazzi che conoscevo solo per nome: il Filippo Colombo, che aveva le braccia e le gambe come ossicini di pollo, e il Matteo Fossati, con le spalle e il petto che erano i quarti di bue lucidi di grasso del mercato di via San Francesco. Entrambi avevano i pantaloni corti, le ginocchia piene di graffi e per lei, che era piú piccola e pure femmina, sarebbero stati disposti anche a prendersi in pancia i proiettili, come i soldati che vanno in guerra, e dire poi al Signore: «Sono morto felice».

Teneva l'orlo della gonna, a cui il sole e lo sporco avevano levato il colore, arrotolato nella cintura da uomo stretta in vita, i piedi nudi ben piantati sulle rocce calde di sole. Sono la cosa che una ragazza non deve mai mostrare, le gambe. Le sue erano nude e rigate di fango che le imbrattava i polpacci e le cosce.

Aveva croste che sembravano le piaghe non curate dei cani. Rideva stringendo un pesce che voleva sgusciarle via dalle dita. I maschi applaudivano e battevano i piedi nel fiume, facevano schizzare l'acqua scura tutt'intorno e io li scrutavo dall'alto mentre andavamo alla funzione delle undici, che per mamma era quella dei «signori».

Papà era davanti e non badava a noi. Camminava con il cappello che gli scopriva appena la nuca, il passo svelto, le mani dietro la schiena, una aggrappata al polso dell'altra.

Mia madre mi strattonava e diceva: «Facciamo tardi». Indicava oltre la balaustra del ponte e diceva: «Ragazzacci».

Mio padre, al contrario, non diceva niente. Non tollerava i rimproveri, ma io sapevo bene, e mamma ancora di piú, che se fossimo rimaste lontane da lui piú di un tiro di sasso e per colpa nostra a messa fossimo arrivati in ritardo, quella sarebbe stata una domenica di silenzi, di porte che sbattono e di denti che digrignano sul cannello della pipa dietro la «Domenica del Corriere».

Dovevo sforzarmi per allontanare lo sguardo dai bambini giú al fiume, i bambini che non ero e che avevo sempre spiato.

Ma quella domenica, per la prima volta, la Malnata mi fissò con i suoi occhi lucenti e neri. Poi fece un sorriso.

Mi mancò il respiro e serrai le palpebre, scattai verso mio padre, sulla strada che saliva al duomo. Lo affiancai e lui nemmeno se ne accorse. Le poche macchine che passavano ci costringevano a schiacciare la schiena contro le vetrine della merciaia e del pasticcere da cui giungeva l'odore caldo della vaniglia. L'insegna annunciava: «Vassoio di paste a cinque lire».

Stava passando la Balilla nera del Roberto Colombo, che lavorava in Comune e, diceva papà con il tono delle cose serie, «conosceva persone molto in alto». Il signor

Colombo aveva due figli maschi, che la signora Colombo faceva pettinare con la riga nel mezzo, e portava gli stivali neri al polpaccio. Quando le vecchie della chiesa gli avevano rivelato che suo figlio piú piccolo trascorreva tutto il giorno con i piedi nel fiume assieme alla Malnata, si diceva lui gli avesse cacciato giú a forza una bottiglia di olio di ricino e arrossato il sedere dalle scudisciate.

Per qualche domenica, dal ponte avevo spiato Matteo e la Malnata da soli: Filippo se ne stava in chiesa, sulla stessa panca del padre, distante un braccio da lui, con la camicia abbottonata fino al collo e i mocassini puliti. In segreto, ne ero stata felice. Poi, un giorno, Filippo era tornato a farsi insozzare di fango e i suoi genitori, assieme al fratello piú grande, avevano preso a sistemarsi piú larghi a messa, per rendere meno visibile il posto vuoto che aveva lasciato.

Il signor Colombo guidava la sua auto sempre lucida con il frontale che pareva un muso di pescecane con le zanne affilatissime. La lasciava nella piazza del duomo per entrare subito in chiesa, come se a camminare gli si rovinassero troppo le scarpe.

Mio padre increspò le labbra quasi gli fossero rimasti fra i denti residui di tabacco. – La nostra rovina. Quegli orrori saranno la nostra rovina –. Non c'era nulla che odiasse piú delle macchine. – La gente vuole andare veloce, – diceva, – è per questo che nessuno indossa piú il cappello –. Però se incontrava il signor Colombo salutava con garbo toccandosi la tesa del suo Fedora di feltro grigio.

Entrando in chiesa scomparve il caldo afoso scoppiato in anticipo di due settimane rispetto all'arrivo dell'estate. Rimase solo il tanfo sporco dell'incenso che saliva al cervello e scivolava fino ai talloni; era una sensazione che somigliava alla paura del buio. Mamma mi teneva per mano e io camminavo solo sulle lastre di marmo bianco perché

il Gesú di bronzo e oro in fondo all'altare non la piantava
di fissarmi e se per sbaglio avessi calpestato il marmo nero poi sarei andata all'inferno.

Nella navata di mezzo risuonavano i sibili delle preghiere
e l'umido schiocco della saliva delle vecchie che pregavano
con le spalle curve, la testa coperta da veli che nascondevano le orecchie. Sedevamo sempre tra le file davanti e bisognava stare zitti tutto il tempo, tranne che per rispondere
ai salmi, dire «Amen» e «Mea culpa, mea maxima culpa».
Il prete parlava dei peccati che mandano all'inferno e io
pensavo ai pesci con le pance d'argento, ai ragazzi a piedi
nudi nel Lambro e allo sguardo della Malnata.

Mamma recitava il *Pater Noster* con la faccia nelle mani, i polpastrelli sulle palpebre. Io studiavo un chiodo che
spuntava dal legno dell'inginocchiatoio. Quando il prete
sollevò in alto il Corpo di Cristo, mi lasciai cadere in avanti come fanno le vecchie.

Cercai il chiodo con una gamba e ci caricai sopra tutto
il peso. Intrecciai le dita e le schiacciai sulla bocca spingendo le nocche tra i denti, grattavo forte il ginocchio e
dicevo il *Gloria*.

Lo sfregai con foga finché il dolore mi scavò nella nuca
come una cosa rovente e levigata.

Anche io volevo avere le rotule segnate come i ragazzi
giú al Lambro. Anche io volevo sentire il fiume filtrarmi
tra le dita dei piedi e mostrare le gambe rigate di fango.
Volevo che battessero per me le mani e i piedi nell'acqua.

2.

La Malnata camminava per le vie del centro strusciando i sandali consumati contro i ciottoli, il mento sollevato e, al fianco, due maschi piú grandi di lei. Mentre passava, le donne digrignavano un «diocenescampi» e si facevano un frenetico segno della croce; gli uomini invece sputavano a terra. Allora lei rideva forte e tirava fuori la lingua, poi faceva un inchino, come se di quelle offese fosse grata.

Con i capelli nerissimi tagliati storti, quasi avessero usato una scodella e un coltellaccio per la carne e gli occhi scuri e lucidi da gatto, come da gatto erano le gambe agili e sottili, mi sembrava la creatura piú bella che avessi mai visto.

La prima volta che mi parlò fu quattro giorni dopo la domenica in cui i nostri sguardi erano scivolati l'uno dentro l'altro dalla balaustra del ponte.

Era il 6 giugno 1935, la festa di San Gerardo. La piazza davanti alla chiesa e il cortile con gli archi e i balconi erano addobbati di striscioni e ghirlande, ed erano pieni di gente come fosse il giorno di Pasqua. Si andava in processione a salutare il corpo del Santo facendosi il segno della croce e baciando le dita prima di appoggiarle sulla teca con lo scheletro vestito d'oro, poi si tornava alla luce della piazza a respirare.

Le campane gemevano e le nuvole erano gonfie di caldo. Sotto i portici e dentro il chiostro, all'ombra dei gelsi, gli ambulanti vendevano caramelle e giocattoli di latta accanto al tiro a segno. Il signor Tresoldi, il fruttivendolo, attendeva i clienti a braccia conserte dietro la bancarella delle ciliegie. Aveva un'espressione maligna e sapeva di asciugamani ammuffiti. Gridava «ciliegie, ciliegie a tre lire il sacchetto» con le mani possenti appoggiate al bancone. Il figlio Noè, che aveva in faccia i segni degli scatti d'ira del padre, impilava le cassette di legno contro le colonne. Noè teneva le maniche della camicia arrotolate sopra i gomiti, come un uomo fatto, anche se aveva solo tre anni piú di me e non gli avevano lasciato finire la scuola. Si diceva che il fruttivendolo l'avesse sempre odiato, quel figlio. Lo testimoniava il nome che aveva scelto per lui. Noè era arrivato assieme alla piena del Lambro, in novembre. Il fiume aveva esondato facendo crollare i ponti, allagando le cantine. Lui, nascendo, aveva fatto uscire dalla madre tutto il sangue e si era salvato da solo, come Noè che, con la sua arca, si era portato via solo le bestie, senza pensare agli altri esseri umani che il Signore abbandonava sotto il diluvio.

Il giorno di San Gerardo c'era il caldo arrogante del mezzogiorno, quel genere di caldo che, nei giorni di festa, divideva le donne del paese in due gruppi ben attenti a non mescolarsi: chi poteva permettersi i guanti bianchi e il vestito di seta a pois, leggero, con la gonna sotto al ginocchio, e chi invece aveva lo stesso abito autunnale per i matrimoni e le comunioni, qualunque fosse la stagione. C'erano poi le cameriere con la divisa e la borsa della spesa nell'incavo del gomito, ma passavano dall'altro lato della strada spiando le bancarelle da lontano, con la lista stretta nel pugno e il passo svelto.

Mia madre mi teneva la mano, aveva un cappellino di paglia laccato di rosa, rigido, con un nastro che le rimbal-

zava sulla guancia. Aveva comprato dalla merciaia grappoli
di ciliegie di cartapesta e li aveva intrecciati alla paglia col
fil di ferro. Cercava l'invidia delle altre donne, in particolare di quelle che girovagavano a testa nuda e potevano
solo guardare perché il sacchetto di ciliegie al banco del
fruttivendolo costava troppo caro.

Mia madre non si accontentava di far voltare le mogli
degli operai, sorrideva anche ai mariti. Mio padre stava in
piedi, la giacca poggiata sulle spalle, davanti al tiro a segno. Accanto a lui, con un fucile di latta puntato contro
le sagome, c'era il signor Colombo, che tutti salutavano
alzando dritto il braccio, le dita tese. Papà si era tolto il
cappello e lo teneva tra le mani tormentandolo con le unghie, il signor Colombo era intento a colpire le figure di
metallo con il tappo di sughero, come se stesse sparando
nel bel mezzo di una guerra vera anziché per gioco. Aveva
una camicia nera piena di medaglie all'altezza del cuore,
ogni tanto sfiorava col pollice il distintivo con i colori della bandiera e la sigla del Partito nazionale fascista, come
per assicurarsi che fosse ancora ben dritto.

Poco distante, di fronte al banchetto delle paste da
cui veniva il profumo di miele e frittelle, il signor Fossati teneva i pollici nella cintura, la vecchia canotta in-
giallita sotto le ascelle. Rideva e indicava il tiro a segno,
circondato da uomini con le guance già rosse di vino. Diceva sempre che il Colombo aveva rovistato nelle teche
dei morti per farsi le sue medaglie, che fingeva di averle conquistate in chissà quali battaglie, ma al massimo
erano premi di gare del sabato o cimeli dei nonni. Roba
da due soldi. Diceva anche che il Colombo era solo un
bambino impaziente di giocare alla guerra, ma un fucile
vero non l'aveva mai visto. Il Colombo, invece, diceva
sempre che il Fossati era uno che della pace non sape-

va fare altro che bersela con il Lambrusco all'osteria di
San Gerardo e vomitarla poi dietro ai mulini. Tutti sapevano queste cose, anche noi bambini, perché quello
che succedeva nelle famiglie degli altri era l'argomento
preferito la domenica a pranzo, quando si invitavano gli
amici e a tavola restavamo seduti fino alla fine perché
bisognava «fare gli educati».

– Mi prendi le ciliegie? – tirai la mano di mia madre e
indicai il banchetto del signor Tresoldi.

– Sai benissimo cosa ha detto tuo padre.

Tuo padre. Se qualcuno faceva qualcosa che non le
andava o le dispiaceva, diventava sempre roba degli altri. «Tuo padre dice che quest'anno non ci andiamo, in
villeggiatura» o «Tuo padre vuole che ne teniamo una
sola, di cameriera». Anch'io diventavo «tua figlia» se
dovevano mettermi in punizione, come un regalo sgra-
dito da nascondere in fondo a un armadio, per poi di-
menticarsene.

– Posso almeno guardare?

– Le ciliegie? Va bene –. Mia madre mi lasciò la mano.

– Ma fa' la brava. Non toccare niente.

Si sistemò i capelli ben pettinati e pieni di forcine sotto
il cappellino e andò verso il tiro a segno. Raggiunse mio
padre e il signor Colombo, che sollevò il fucile giocattolo
e disse: – Vuole che vinca qualcosa per lei, signora Strada?

Arricciai le dita dei piedi dentro le scarpe strette e serrai
i pugni. Mia madre rise, coprendosi la bocca con la mano.
Il signor Colombo le sfiorò, come per sbaglio, il fianco.
Le sue dita le carezzavano un gomito; si voltò a fissarmi.
Aggrottava le sopracciglia come Mussolini nel ritratto appeso in classe. E sorrideva. Mi sentii i suoi occhi addosso e ogni parte di me si irrigidí. Corsi via con la vergogna
ficcata in gola.

Mi fermai a pochi metri dalla bancarella del signor Tresoldi, ero attirata da quei sacchetti pieni di ciliegie lucide e nere, ma mi tenevo lontana perché lui mi faceva paura. Restai all'ombra del tetto della chiesa, le mani incrociate dietro la schiena e nella mente le parole di mia madre: non toccare niente.

– Che fai? Guardi le ciliegie? – Una voce da corvo alle mie spalle mi riscosse.

Dietro di me c'era la Malnata. Aveva la schiena appoggiata al muro con l'affresco scrostato di San Gerardo, le tasche del vestito sbrindellato colme di ciottoli, e mi squadrava. Mi mancò il respiro e la terra d'un tratto perse consistenza. Non eravamo mai state tanto vicine.

Sapeva di fiume, aveva una cicatrice bianca che da sotto il naso le arrivava alla curva al centro delle labbra e una macchia rossastra e lucida che dalla tempia le invadeva una guancia fino al mento.

– Cosa? – Mi accorsi con imbarazzo di balbettare, come quand'ero piccola e dovevo recitare a memoria l'alfabeto, poi le suore mi correggevano con la bacchetta sulle dita.

– Le ciliegie, – disse, – le vuoi?

– Non posso. Non ho soldi.

– Non è vero, – disse lei scrutandomi con sufficienza anche se era di un intero palmo piú bassa di me. – Sei vestita da ricca. C'hai pure le scarpe lucide, – indicò i miei piedi ridendo. Aveva una risata violenta e non si preoccupava di nasconderla.

– E allora? – ribattei cercando di tenere in alto il mento.

– E allora i soldi per le ciliegie ce li hai.

– Mica io, – dissi. – Ce li ha papà. Ma le ciliegie non vuole che le prenda.

– E perché?

Mi guardai le scarpe. – Non vuole e basta.

– Perché?
– E che ti importa a te?
– Allora prenditele, – disse in un fiato.
– E come? Ti ho detto che i soldi non li ho.
– Prenditele e basta.

In casa avevamo un crocifisso. Uno di quelli grandi e scuri che aveva perso il profumo del legno e adesso odorava solo di cera. Mamma e papà lo tenevano in camera, sopra il letto, insieme alle acquasantiere d'argento e alle foto del matrimonio.

Gli occhi del Gesú di legno guardavano fino in camera mia quando i miei genitori lasciavano la porta aperta, e io allora non riuscivo piú a dormire.

«Gesú ti guarda sempre», diceva mia madre dopo aver ribadito ancora le cose che una brava signorina fa e non fa. Io, se mi venivano quelli che lei chiamava «i pensieri cattivi», come prendere i gianduiotti dalla ciotola senza dirlo e poi occultare le carte dorate nel vaso sopra il comodino, fare storie all'ora di andare a letto o, prima di dormire, toccarmi tra le gambe, dove si trema, mi immaginavo gli occhi tristi del Gesú di legno e mi fermavo, bloccata dalla paura e dal senso di colpa che mi strisciava fino ai talloni. Mi sentivo sporca e sbagliata perché il Gesú di legno poteva scrutare nella mia testa e vedere i miei peccati, anche quelli che tenevo segreti.

Il giorno che la Malnata mi rivolse per la prima volta la parola e mi disse di prendere le ciliegie io risposi: «Non si può».

Il mondo era fatto di regole che non dovevano essere violate. Era fatto di cose da grandi enormi e pericolose, di irrimediabili sbagli che ti potevano uccidere o mandare in prigione. Era un posto spaventoso, pieno di cose proibite, in cui dovevi camminare piano e in punta di

piedi, stando attenta a non toccare niente. Soprattutto
se eri femmina.
Quella ragazzina spigolosa indurí la mandibola e disse:
– Guarda. Guardami adesso.
E io, anche se mi sentivo dentro un'urgenza che mi stringeva lo stomaco, feci come mi aveva detto. Guardarla era
una cosa che avevo sempre fatto. Ma adesso era diverso:
era lei a chiedermelo.
La Malnata mi diede le spalle e avanzò, fino a uscire
dall'ombra della chiesa. I capelli nerissimi brillavano al
sole e lei alzò la mano come quando a scuola si conosce
la risposta. Non appena la abbassò, da dietro una colonna arrivarono il Filippo Colombo con i suoi capelli lisci e
biondi e il Matteo Fossati, grosso e scuro, con una canotta
dai bordi ingialliti uguale a quella del padre: i maschi che
per la Malnata battevano i piedi nell'acqua. Si avvicinaro-
no alla bancarella del signor Tresoldi, vi girarono intorno
parlando fitto e facendosi notare. Il fruttivendolo stava
rimproverando suo figlio Noè. – Bestia, – gli diceva, gridando forte, – pare che dormi in piedi! – Lui subiva in silenzio, continuando a impilare cassette vuote.
Filippo e Matteo si fermarono accanto alla bancarella
delle ciliegie, il signor Tresoldi smise di bestemmiare e li
fissò con un luccichio di minaccia negli occhi: due noccioli sporchi di polpa.
Matteo allungò una mano verso un sacchetto di ciliegie,
ne afferrò una per il picciolo e la accostò alle labbra, con un
gesto lento. Filippo esitava, Matteo gli diede una gomitata
nelle reni e lui si piegò come un ossicino spezzato, poi afferrò una ciliegia e la mise in bocca in fretta, pieno di paura.
– Delinquenti, – urlò il signor Tresoldi. Cacciò una mano sotto al banchetto, estrasse un lungo bastone di quelli
che si usano per tirare giú le tende e lo scagliò contro una

colonna. A quel suono Noè ebbe uno scatto e la fila di cassette che stava impilando crollò.

I due ragazzini presero a correre tra le gonne delle signore e le ghirlande della festa, ridendo. Il signor Tresoldi sgusciò da dietro la bancarella e li inseguí, accecato da una rabbia nera. Zoppicava reggendosi al bastone, lo roteava in alto solo quando si fermava per appoggiarsi a una colonna. L'ultimo inverno gli avevano tagliato le dita di un piede dopo che si era addormentato in mezzo alla neve con una bottiglia in mano.

Nulla mi faceva piú paura delle dita guaste e nere che erano state mozzate al signor Tresoldi. Si diceva che le avesse date da mangiare alle oche in cortile e da allora ne fossero diventate ghiotte.

Il signor Tresoldi claudicava in mezzo alla folla e Noè raccoglieva le cassette cadute. La Malnata scivolò verso il bancone, afferrò un sacchetto di ciliegie e se ne andò senza correre, superando i portici verso la strada, con l'innocenza di una santa.

La osservavo sparire tra la gente e scoprii, quasi con dispetto, di non essere morta.

Nessuna tegola era caduta dal tetto rompendomi il cranio, nessuna costrizione dei polmoni a soffocarmi, nessun improvviso arresto del cuore. Avevo parlato con la Malnata, l'avevo fissata negli occhi e il demonio non mi aveva tirato fuori a forza l'anima dalle orecchie.

Quando il fruttivendolo tornò, la fronte bagnata di sudore, notò il vuoto lasciato dal sacchetto rubato dalla Malnata e bestemmiò. Si guardò intorno e cercò pure in aria, come se quel sacchetto se lo fossero portato via gli angeli. Sbatté a terra il piede sano, afferrò Noè per il colletto della camicia lercia e bestemmiò ancora, come se volesse coprire il rumore degli schiaffi con cui lo colpiva.

– Si può sapere dov'eri, te? – urlò. Noè si proteggeva il viso con le braccia alzate, che il padre continuava a picchiare. – Ce n'era un altro e te lo sei fatto scappare da sotto il naso, disgraziato!

Mi feci forza e mi avvicinai al banchetto delle ciliegie: – Io l'ho visto, – dissi. Dovetti ripeterlo ancora prima che il signor Tresoldi si girasse verso di me, la faccia come una focaccia dimenticata al sole.

– Sei la figlia degli Strada, te –. Mollò la camicia di Noè, che perse l'equilibrio e cadde. – Allora? Dov'è andato?

Indicai il retro della chiesa, verso il chiostro, e dissi: – Di là.

Non aggiunsi altro perché appena dicevo le bugie facevo fatica a parlare e incespicavo negli intervalli tra le sillabe.

Il signor Tresoldi zoppicò verso il chiostro, lo guardai sparire nell'ombra dell'abside finché i passi non si sentirono piú.

Respiravo forte dalla bocca aspettando che, per colpa di quella bugia, la piazza si crepasse e mi inghiottisse o qualcosa di invincibile, come una grandissima mano bucata da un chiodo sporco di sangue, scendesse giú dal cielo per stritolarmi.

Non successe niente. Forse il Gesú di legno si era distratto e nel momento in cui avevo detto quella menzogna non stava badando a me. O forse non era un peccato. E se neppure sotto i piedi della Malnata si era aperta la terra, persino rubare le ciliegie al signor Tresoldi non doveva esserlo. Se non ero ancora morta, né per aver parlato con la Malnata, né per aver omesso la verità, allora erano stati i grandi a raccontarmi delle bugie.

Noè si era alzato, strusciava la manica della camicia contro le guance e mi guardava con un luccicore strano negli occhi.

Camminai all'indietro, con la lentezza di chi gioca a nascondino e deve muoversi senza farsi scoprire, poi, di scatto, mi misi a correre oltre i portici e le coccarde a festa, dove la folla pian piano si diradava lungo la strada che arrivava fino all'argine del Lambro.

Li vidi da lontano: tre figure scontornate contro l'azzurro del cielo, seduti sulla balaustra del ponte di San Gerardino, che stava di fronte alla piazza della chiesa dipinta di bianco e conduceva alla strada delle osterie.

Mi avvicinai. La Malnata aveva le gambe penzoloni nel vuoto sopra l'acqua scura e indicava la statua del Santo che avevano legato in mezzo al fiume facendola galleggiare su una piccola zattera: san Gerardo era fatto di legno con un sacchetto di ciliegie appoggiato accanto. Era vestito come un frate, inginocchiato su un mantello di aghi di pino. Era stato mio padre a raccontarmi la leggenda del suo miracolo, il miracolo del mantello usato come una zattera per portare da mangiare agli ammalati durante una piena, l'anno che il ponte era crollato. Ecco perché per la sua festa mettevano la statua nel fiume. Le ciliegie erano per un altro miracolo, invece: l'occasione in cui le aveva fatte comparire in inverno, quando c'è la neve e i frutti non crescono.

Sulla balaustra di pietra c'era il sacchetto di ciliegie rubato, ne avevano già mangiate piú della metà.

Vicino alla Malnata, come nelle pale dei santi sugli altari, a destra e a sinistra della Madonna, c'erano i due maschi.

La Malnata masticava come gli uomini, in modo rumoroso e a bocca aperta. Poi tirava indietro la schiena e le spalle e sputava il nocciolo lontano, in mezzo all'acqua scura. Puntava il dito verso la statua del Santo o la piccola cascata piú in fondo, con i rami e il fango nero che incrostava la ruota del mulino, e rideva. I maschi ridevano con lei e facevano a gara a sputare piú lontano, dondolando le gambe oltre la balaustra.

– Ne voglio una anche io, – dissi.

Si voltarono tutti insieme.

– Una ciliegia me la dovete dare.

Matteo e Filippo mi squadrarono come fossi una cosa marcita, poi si girarono verso la Malnata. Fu lei a parlare: – E perché?

– Perché ti ho aiutata.

– Non è vero.

– Sí, invece.

– Le ciliegie ce le siamo prese noi. Tu hai guardato e basta, – disse la Malnata.

– Non è vero, – ripetei. – Il signor Tresoldi è tornato indietro e io gli ho detto una bugia. Sennò vi trovava.

– Allora le bugie le sanno dire anche le sciure coi bei vestiti.

Strinsi il tessuto della gonna.

– E che gli hai detto?

– Che era andato dall'altra parte. Nel chiostro.

– Chi?

– Il ladro.

– Pensi che sono una ladra? – disse. I suoi occhi neri mi scavavano dentro.

– Hai preso le ciliegie, – le dissi. Ma quella domanda, che sembrava facile, somigliava invece ai problemi in cui risolvi un'operazione e ne devi fare subito un'altra e un'altra ancora, e alla soluzione non ci arrivi mai e devi ricominciare. – Non gli hai lasciato i soldi, – continuai cauta, fissandole le labbra sporche di succo. – E questo è rubare.

Lei si fece ruotare in bocca il nocciolo, lo sputò dentro al pugno. – Lo sai che cosa c'era prima al posto del negozio del signor Tresoldi? – chiese.

Scossi la testa. Matteo e Filippo continuavano a mangiare le ciliegie e a gettare i noccioli nel fiume.

Il signor Tresoldi aveva il negozio all'angolo di via Vittorio Emanuele, di fronte alla tabaccheria. Dopo il rosario le signore del quartiere andavano a fare la spesa da lui. Abitava sul retro, aveva un pezzo del cortile dove teneva un cane spelacchiato con le gengive rosse legato alla catena e le gabbie con le oche e le galline.

La Malnata giocherellò con un picciolo. – C'era una macelleria. Con i ganci per le carni, l'affettatrice e il resto. Ma hanno cacciato il proprietario per far aprire il negozio al fruttivendolo.

Matteo assunse un'espressione cupa, poi si girò a scrutare l'acqua nera.

– E perché? – chiesi.

– Perché se non ci stai attento i fascisti non ti lasciano manco le mutande, – rispose Matteo.

A quelle parole Filippo ebbe un sussulto, si portò un pugno alle labbra e prese a mordersi le nocche, come se quella storia del macellaio a cui avevano rubato il negozio fosse colpa sua.

La Malnata annuí, solenne, raccolse una manciata di ciliegie e le masticò in fretta. Sputò i noccioli tutti insieme: fecero lo stesso suono della grandine contro i sassi. – Sei capace, te?

– Non lo so.

– Prova, – mi sfidò facendomi spazio sul muretto accanto a lei.

Appoggiai i palmi contro la balaustra e cercai di tirarmi su con una spinta, ma era troppo in alto e continuavo a cadere.

Filippo faceva oscillare il peduncolo di una ciliegia attraverso il buco che aveva tra i denti davanti, scoppiò a ridere e disse: – Non ci riesce, – ma lei lo zittí con un'occhiata e mi aiutò a sollevarmi tirandomi dalle ascelle. Si sistemò il sacchetto delle ciliegie tra le cosce. – Prendine una e poi sputa il nocciolo il piú lontano che puoi. Obbedii. In bocca la ciliegia era morbida e sapeva appena di terra.

– Se lo mandi giú puoi anche morire.

– Lo so, – dissi masticando con attenzione e cercando il nocciolo coi denti, – mica lo mando giú, io.

– Guarda me adesso, è cosí che devi fare.

La studiai, attenta, inarcare la schiena e succhiare indietro le labbra per prepararsi a sputare lontano. Provai a farlo anch'io, ma mentre il suo nocciolo e quelli di Matteo e Filippo finivano nell'acqua vicino alla statua di san Gerardo e persino schioccavano contro il legno, i miei cadevano accanto alle colonne del ponte.

– Non sono capace.

– Devi solo far pratica. È facile, – mi rassicurò lei. – Prova di nuovo.

Masticai per bene, mi rigirai in bocca il nocciolo finché con la lingua non lo ripulii dalla patina succosa e lo sentii liscio contro il palato.

– Ehi voi! – gridarono dal fondo del ponte.

Il signor Tresoldi aveva le guance paonazze, le maniche sollevate della camicia scoprivano le braccia grosse, piene di peli scuri. – Siete voi che mi fregate le ciliegie, maledetti?

La Malnata ebbe un sussulto, ma fu rapida a cozzare contro il sacchetto di ciliegie e farlo cadere nel Lambro, pulendosi le labbra sul dorso della mano.

Il signor Tresoldi si avvicinava, tanto che potevo già sentire il puzzo del suo fiato, e mi accorsi che ero l'unica ad avere ancora il nocciolo tra i denti e la lingua.

– Siete stati voi, vero? Delinquenti, lo so. Siete sempre voi. È inutile che fate finta –. Il fruttivendolo adesso era dinanzi a noi, imponente come l'orco delle fiabe. – Aprite le bocche, – disse. – Subito.

La Malnata obbedí e tirò fuori la lingua. Filippo e Matteo fecero lo stesso.

Io sentivo sul palato la durezza del nocciolo e non avevo il coraggio nemmeno di respirare.

Il signor Tresoldi diventava sempre piú rosso e cattivo mentre ispezionava le bocche vuote e pulite della Malnata e di Matteo: dovevano essersi passati la lingua sui denti per togliere il colore del succo. Il figlio del signor Colombo, invece, nemmeno lo considerava, come se, a dargli del delinquente, avesse paura di mancare di rispetto a un nome che non bisognava sporcare. Poi si voltò verso di me.

– E tu? Se non mi dici chi ha rubato le ciliegie lo dico a tua madre. E se non apri subito la bocca ti faccio vedere io.

La Malnata e i due maschi mi stavano osservando. Loro con un'espressione a metà tra il divertimento e lo stupore, ma anche con la paura che mozzava i respiri, lei con gli occhi come ciottoli di fiume e la faccia seria.

Non volevo pensasse che avevo paura e che con loro, a catturare i pesci nel Lambro, non ci sarei mai potuta andare.

Schiacciai la lingua contro i denti di sotto per raccogliere la saliva e inghiottii il nocciolo.

Forse sarei morta, gonfia e viola per la mancanza di respiro. Forse era quello che mi meritavo. Invece sentii solo un lieve raschiare alla gola e un dolore fiacco in mezzo al petto, poi piú nulla. Avevo la bocca vuota e asciutta, e davanti al fruttivendolo che urlava: – Allora, che aspetti? – la spalancai e tirai fuori la lingua, proprio come aveva fatto la Malnata.

Ci indagò uno per uno, con estrema lentezza, si girò verso la piazza come a cercare qualche testimone che potesse condannarci. Ero convinta che se non fossimo stati in un giorno di festa, in mezzo a tutta quella gente, ci avrebbe strappato la pelle come faceva con le spine dei carciofi. La sua rabbia non si era ancora placata che tornò a guardarmi. – Non ti fidare, – disse indicando la Malnata, e gli venne fuori una faccia cattiva. – Ci devi stare lontana da lei. O finisci anche tu con la testa spaccata.

3.

Di lei parlavano segnandosi le labbra con una croce o facendo un gesto stizzoso con la mano come a scacciare una vespa, quasi ne avessero paura. Di una ragazzina che avrebbe dovuto rifare il primo ginnasio, gli adulti parlavano come di una brutta malattia, un pezzo di ferro arrugginito, di quelli che ti tagli, ti viene la febbre alta e muori. La vedevo arrivare ai giardini e la spiavo cercando di lanciarmi sempre più su con l'altalena mentre mia madre chiacchierava con le amiche accomodate all'ombra dei cedri, i cappelli picchiettati dal sole che si spingeva oltre le foglie, i guanti bianchi. La madre della Malnata non l'accompagnava mai. Ci veniva l'Ernesto, il fratello grande che aveva appena compiuto vent'anni e andava in centro in bicicletta pedalando senza toccare il sellino, più svelto delle macchine anche in salita, le gambe forti. Aveva le mani grandi, i capelli scuri e la polvere nera della fabbrica che gli rimaneva incastrata nei solchi del viso. Stava in disparte, sull'unica panchina tutta al sole. Lei si dondolava dai rami della quercia e si arrampicava più in alto degli altri; lui fumava in silenzio una sigaretta e la sorvegliava.

Quando avevo chiesto perché non potessi andare con lei a dondolarmi dagli alberi, mia madre mi aveva preso per un polso e mi aveva raccontato che con la Malnata non ci dovevo stare: portava sfortuna.

Dove c'era lei erano successe cose brutte, cose che mamma chiamava, abbassando la voce come faceva per le parole belle e difficili, «disgrazie». Le cose che succedono nelle case dove appendono il ferro di cavallo al contrario e al posto di cacciarli, i guai, se li attirano addosso. «Pericolosa come o' Satanasso», diceva mia madre facendo entrare nei discorsi quel suo dialetto che non usava quasi piú perché le altre signore la scrutavano dall'alto in basso e ridevano appena, coprendo le labbra con la mano avvolta nel guanto elegante.

– Non ci credo, – avevo detto. – Perché non può essere mia amica?

Cosí mia madre mi aveva raccontato la storia del bambino che era caduto dalla finestra e non si era rialzato piú. Era una di quelle storie passate di bocca in bocca tra le mamme che si riposano all'ombra chiacchierando al ritmo dello schiocco dei ventagli. Una di quelle storie che si nutrono di parole prestate, sussurrate di nascosto.

Era successo un giorno in cui la Malnata aveva sette anni e stava giocando in cucina con il fratello Dario, che invece di anni ne aveva solo quattro. La signora Merlini, sua madre, era uscita e li aveva lasciati da soli il tempo di farsi prestare il sale dalla vicina. Al suo ritorno, Dario non c'era piú. L'aveva cercato sotto i letti e negli armadi, tra i panni sporchi e dietro le tende gonfie di vento. Poi aveva chiesto alla bambina, che era rimasta per tutto il tempo in piedi a osservarla: – Dove sta? Dove sta tuo fratello?

Lei aveva alzato una mano e aveva indicato la finestra.

– Non è colpa mia, – aveva detto.

Allora la signora Merlini si era sporta e aveva guardato giú.

Dario era in cortile, quattro piani piú in basso, con il sangue che gli usciva nero e luccicante dalla bocca e dalle orecchie.

4.

Mia madre voleva che avessi paura di quella ragazzina sporca per costringermi a non parlarle. Per questo
mi aveva riferito del fratellino precipitato di sotto, e mi
aveva anche detto di quando la compagna di banco della
Malnata si era messa a urlare nel bel mezzo di un detta-
to e aveva sbattuto la fronte sul banco, ancora e ancora, fino a rovesciare il calamaio con l'inchiostro e farsi
sanguinare una tempia, mentre dalla bocca le colava la
saliva. E di quando la riga di legno che la maestra aveva
usato per picchiare la Malnata si era spezzata, ficcandosi nella carne tra indice e pollice e il sangue era schiz-
zato sulla cartina dell'Italia. La ferita si era infettata e
la maestra aveva rischiato di non poter mai piú scrivere
nulla alla lavagna.

Sperava che dopo quelle storie spaventose e piene di
sangue la finissi di cercarla, la Malnata, ché altrimenti
prima o poi mi avrebbe lanciato una maledizione, perché
cosí fanno le streghe.

Ma aveva ottenuto l'effetto contrario di farmela sentire piú vicina: anche la Malnata aveva avuto un fratello
che adesso non c'era piú e forse pure lei avvertiva il peso
di essere rimasta viva.

Di mio fratello, mia madre diceva che non dovevamo
parlare. Le uniche volte in cui si pronunciava il suo nome
erano il giorno dei morti e il 26 aprile, che si andava a la-

sciare un mazzo di gladioli sulla lapide bianca in fondo al viale coi platani.

Quando era nato, nella culla mamma aveva posato due mandarini e un sacchetto di caramelle con la carta colorata. – La cicogna ha portato un bambino per noi e i dolcetti per te, – aveva detto. Ma anche se la cicogna non si era dimenticata di me, lo odiavo. Faceva troppo rumore, era rosso e grasso e non sapeva stare in piedi da solo. Ci svegliava strillando ogni notte e mamma era sempre stanca. Diceva che anche io ero cosí da piccola, ma non ci volevo credere. Dal momento in cui lui era arrivato, io avevo cessato di esistere.

Non fui triste il giorno in cui morí e dovetti cacciarmi fuori le lacrime a forza per non dare un dispiacere ai miei genitori.

Era diventato del colore delle prugne mature e a un certo punto non aveva potuto respirare piú, come se avesse inghiottito il nocciolo di una ciliegia e quello gli si fosse incastrato in gola. Dopo che il dottore ci aveva detto che non si poteva salvare, mamma aveva morso disperata le lenzuola.

Se mi avessero chiesto di descrivere mia madre, di una cosa sarei stata sicura: non era felice. E non lo era stata nemmeno prima che la malattia logorasse i polmoni del bambino che per neanche un anno era stato mio fratello. Nei rari momenti in cui era serena, recitava le frasi dei film che aveva visto al cinematografo o pezzi di teatro nel suo dialetto. Apriva gli armadi, indossava gli scialli piú belli, con le nappe e i fiori di seta. Mi mostrava vecchie foto negli album con la carta che frusciava e che io non potevo toccare perché altrimenti si strappava e diceva: «Guarda tua mamma. Guarda com'era bella». Mi parlava di donne che non erano donne vere, ma per lei lo erano piú della maestra di scuola: Didone e Greta Garbo, Marlene Dietrich e Medea. Tutte bellissime e tragiche. «Una volta ero anch'io come loro», diceva.

Aveva conosciuto papà al Petrella di Napoli, nel periodo in cui lui era in vacanza con i cugini e lei recitava nello *Sposalizio*. Le piaceva raccontarmi di come si era lasciata affascinare da quell'uomo che aveva negli occhi il colore della nebbia del Nord e che, credeva, l'avrebbe fatta diventare un'attrice del cinematografo. Adesso di quei desideri non c'era che un vago senso di tragedia. La bellezza, invece, era svanita perché il gonfiore del ventre e delle guance che aveva accumulato per dare a mio padre i figli che voleva le era rimasto sotto la carne anche anni dopo.

I medici avevano detto che era stata colpa delle vacanze al mare, che là mio fratello si era preso la malattia che gli aveva paralizzato i polmoni facendolo annegare dentro sé stesso. Dopo quell'estate in cui la poliomielite l'aveva divorato, in vacanza al mare non ci eravamo andati piú e papà aveva deciso di portarci in montagna «a respirare l'aria buona».

Mia madre cominciò a rifugiarsi sempre piú nei propri silenzi: curava il proprio aspetto come un compito autoimposto. Seguiva una rigida dieta e aveva i capelli pettinati alla *garçonne*, con la virgola sulle tempie. Papà li odiava. Diceva che una donna non doveva avere i capelli corti, non stava bene. Mamma nascondeva le riviste di moda sotto il materasso. Erano la sua Bibbia, il suo sillabario. Stava allo specchio, sul pouf ricamato, e si leccava la punta dell'indice per testare la temperatura del ferro con cui si arricciava i ciuffi.

Mio padre quasi non le parlava piú. Stavano quieti e distanti come vecchi cani che hanno vissuto nello stesso cor-

tile, ma che ormai si sono stancati del reciproco odore.
Dovevano esserci giorni in cui ricordava di averla ama-
ta, lo capivo da come le porgeva il braccio per scendere
le scale, da come indugiava nella stanza mentre lei si an-
nodava i nastri del vestito. Il fumo della pipa gli nascondeva la faccia, i capelli gli si diradavano sulle tempie,
dove il Fedora che indossava sempre, in ogni occasione,
lasciava un solco. Quando era nervoso si accarezzava le
nocche con movimenti circolari sempre più piccoli. In
casa ci stava poco, usciva la mattina senza fare colazione
e tornava all'ora di cena, svuotato dalla giornata passata
giù al cappellificio.

In casa stavamo sempre tra femmine: io, mia madre e
le domestiche. Poi era arrivata l'onda lenta della crisi che,
diceva papà, era partita dall'America e dalle sue banche.
Nel marzo del 1932 ci eravamo dovuti trasferire in una
casa più piccola, nella zona di largo Mazzini, tenendo solo la Carla, che si lamentava delle gambe gonfie e aveva
l'aria della campagnola, ma costava poco.

Mamma si rammendava da sola i vestiti e se ne stava
davanti alla toeletta della camera da letto per cercare di
mantenere quella sua recita da signora; papà trascorreva
sempre più tempo in fabbrica, le sue nocche erano diventate lucide e le sue assenze incolmabili.

Io mi nascondevo nell'armadio, dove c'era abbastanza
spazio per rannicchiarsi, tra le camicie pulite e i mattoncini
di sapone. Dovevo essere sicura che la porta fosse chiusa,
tanto che di luce ce n'era solo una striscia, e allora cominciavo a urlare. Schiacciavo la faccia in una camicia di papà. Dopo stavo meglio. Ma solo per poco.

Avevo sempre amato la solitudine, ma più crescevo più
mi accorgevo che ogni giorno la mia vita, anziché ingran-
dirsi insieme al mio corpo, al mio petto e alle mie cosce,

diventava piú piccola, sempre piú piccola, fino a farmi
scomparire.

Tutto cambiò dopo quel giorno di giugno, quando, con
la paura di morire, inghiottii il nocciolo della ciliegia e
guardai la Malnata.

Era la prima volta che qualcuno mi fissava negli occhi
e sembrava dirmi: «Ti ho scelta».

5.

Me la ritrovai sotto casa la mattina dopo: indossava un vestito troppo grande che le lasciava nuda una spalla, portava a mano una vecchia bici da corsa rugginosa, con il manubrio ritorto come un paio di corna. Ero uscita sul balcone dopo aver sentito da fuori la sua voce che gridava: – Sciura delle ciliegie, vieni un po'.

Avevo i piedi nudi, la camicia da notte che mi sfiorava le caviglie, lei guardava in alto tenendosi una mano di taglio sui sopraccigli per schermarsi dalla luce.

– Ciao, – disse, facendo battere il polpaccio contro il pedale.

– Come lo sapevi, dove abitavo?

– So un sacco di cose, io.

Continuai a fissarla aggrappata alla balaustra.

– Allora, vuoi scendere o no?

– Perché?

– Per andare al Lambro.

Esitai: – Insieme?

– E che ci venivo a fare qui, sennò?

Da dentro casa i rumori della Carla che rigovernava in cucina e della macchina Singer che cigolava piano in soggiorno. Mia madre cantava come un soprano a teatro: «*Oje vita, oje vita mia, oje core 'e chistu core si' stata 'o primmo ammore e 'o primmo e ll'urdemo sarraje pe' me*». Papà era uscito prima che mi svegliassi lasciando

solo l'odore secco del suo tabacco da pipa che impregnava le tende e i tappeti.

Un tram passò sferragliando a una spanna dalla schiena
della Malnata, sollevandole la gonna, ma lei non sembrò
nemmeno farci caso: – Ci vieni? – urlò per farsi sentire al
di sopra del rumore.

– Mamma non mi lascia.

Già la sentivo: «Una brava signorina non esce che per
le commissioni e per andare in chiesa».

– E tu non dirglielo.

Controllai in casa, poi fuori. Avrei potuto prendere una
tenda e usarla per calarmi di sotto, oppure scivolare lungo
la grondaia o rubare le chiavi dalla borsetta di mia madre
e uscire senza farmi sentire. Pensai a cosa avrebbero fatto
Sandokan, il Corsaro Nero o il Conte di Montecristo. Ma
se ne stavano silenziosi in camera mia nei libri coi dorsi
rossi, imbrigliati dentro le loro avventure in posti troppo
lontani, mentre io ero lí, sul balcone, con addosso solo la
camicia da notte e di arrampicarmi non ero capace, nemmeno sugli alberi. E poi loro erano maschi, e io non potevo essere altro che una femmina. E le femmine erano fatte per essere salvate.

Mi rivolsi alla Malnata e dissi: – Non posso.

Lei si grattò la macchia che aveva sul lato del viso come
fosse una ferita che aveva ripreso a bruciare, poi scrollò
le spalle: – Come ti pare –. Rigirò la bici, mise un piede
sul pedale dandosi lo slancio. Sfrecciò fino in fondo alla
via del mercato pedalando senza toccare il sellino proprio
come suo fratello, con la schiena piegata, il vento che le
gonfiava la gonna. Si infilò tra due gruppi di massaie con
le sporte della spesa disperdendole come piccioni spaven-
tati e sparí dietro il blocco compatto del tram.

Tornai in casa e chiusi la finestra, tirai le tende. Dal

fondo del salotto mia madre sollevò la testa dalla macchina da cucire, fermò il piede che muoveva il pedale e chiese: – Chi era?
    – Nessuno.
    – Lo spero bene, – approvò tornando al suo lavoro. – Sei
ancora troppo giovane per avere uno spasimante, – disse
alla stoffa scarlatta che teneva tesa con le dita. – Bisogna
sapersi custodire. Donna non lo sei ancora, ma ai maschi
devi starci attenta.
    – Lo so, – dissi, anche se tutti quei discorsi di mia
madre sull'essere donna non li capivo. Un giorno avrei
smesso di essere quello che ero e sarei diventata un'altra. Magari con l'ossessione per le buone maniere, come
lei. Quel giorno mi appariva pieno di mistero e vergogna
e incuteva paura.
    Sgusciai tra i portavasi con l'aspidistra e la terra secca
che mamma si dimenticava di bagnare perché le cose vive
erano quelle cui prestava meno attenzione. Dovetti mettermi di lato per passare tra il grosso mobile in radica e il
tavolo con le zampe di leone che occupava la sala intera.
    Anche se nella casa nuova avevamo solo quattro stan-
ze, mamma non aveva voluto abbandonare nessuna delle
nostre cose e cosí, dentro quell'appartamento stipato di
mobili, statuette di peltro, pentole di rame e madonne in-
tagliate, sembrava di stare in un robivecchi. Ogni oggetto
era però lucente e non si vedeva un grammo di polvere.
    Raggiunsi la cucina. La Carla mescolava qualcosa in una
ciotola; sulle dita le si era raggrumata la farina impastata
con l'acqua e il burro. Portava il crocifisso d'oro al collo,
era solida e forte, chiedeva solo trenta lire alla settimana e
sorrideva con una fila di denti puliti. Mamma però si im-
barazzava per il suo accento bergamasco rude e granuloso
e per le sue gambe tozze.

– Sei triste, bella *tusa*? – disse con quel sorriso che le accendeva il volto.

Incassai il collo nelle spalle e scossi la testa.

Lei mi pinzò una guancia con le dita lasciandomi un baffo di farina. – A me lo puoi dire.

Restai zitta a disegnare cerchi nel mucchio di farina rimasto sul tavolo.

La Carla prese un respiro di quelli lunghi, poi tornò a impastare. – Passami le uova, – proseguí indicando con il mento la mensola accanto al lavello, dove c'erano la bottiglia di vetro del latte, il pacco di farina e un cartone da sei uova. – E sta' attenta ché non ce ne sono altre.

Fu allora che mi venne l'idea: – Eccole, – dissi, e allungai un braccio verso la mano che Carla mi tendeva, ma lasciai andare la presa troppo presto; le uova si schiantarono, il cartone s'impregnò.

– Oddio, cos'hai combinato? Te l'avevo detto che erano le ultime! Adesso che dico alla signora?

Mi scusai: – Posso andarci io a comprarle.

Lei increspò la fronte: – E da quando vuoi andarci te a fare le commissioni?

Presi lo straccio umido che pendeva dal lavello e mi chinai.

– Lascia. Faccio io, – disse la Carla. – Vai a farti dare dalla signora i soldi per le uova, ché la torta deve essere pronta per pranzo.

Tornai in salotto con il respiro che mi strozzava la gola, mi avvicinai alla macchina da cucire di mamma, i piedi nudi che affondavano nel tappeto. Mi prestò attenzione solo nel momento in cui fui a un passo da lei. Smise di far oscillare il pedale e mi squadrò: – Cosa c'è, adesso?

– La Carla ha detto che devo andare a comprare le uova.

- Impossibile. Dille di cercare nella credenza, sono appena arrivate -. Fece ripartire la Singer dando una carezza alla ruota e spingendo la pedaliera di ghisa. Inghiottii un bolo di saliva e replicai: - Si sono rotte. - Come sarebbe a dire che si sono rotte? - sbottò mia madre picchiando il palmo contro il ripiano.
- Sono stata io, signora. Mi perdoni, - disse la Carla sporgendosi dalla cucina mentre si puliva le mani nel grembiule. Il viso di mia madre si contrasse. Senza dire niente si alzò e si avviò a piccoli passi verso la specchiera in corridoio, aggiustandosi in vita la cintura della vestaglia.

Cercava borbottando il portamonete nella borsa di struzzo: - Lo dicevo, io, a tuo padre che dovevamo tenerci la Lucia, mica la Carla. Questa qui non fa altro che combinare disastri. È una vergogna, - concluse, tirando fuori il borsellino.

Mi schiaffò in mano la moneta da cinque lire con il disegno dell'aquila: - Già che ci sei, prendi il cartone da dodici. Di' al fruttivendolo che ti mando io e di farsele bastare. E vedi di sbrigarti.

Prima di correre in camera a vestirmi lanciai un'occhiata alla porta della cucina dove la Carla stava in piedi sull'uscio e mi guardava. Sillabai un grazie muto tenendomi stretta la moneta d'argento e un senso di colpa viscido come albume crudo.

Fuori il sole scottava e l'aria era ferma.

La gente riempiva le strade, c'era odore di sudore, il vocio dei capannelli nei pressi delle botteghe e lo sferragliare del tram che andava verso il centro.

Mi ero messa il vestito stampato a foglie di quercia e, al collo, la catenina d'oro della comunione. Camminavo a passi veloci su via Vittorio Emanuele e mi pettinavo i capelli con le dita. Per la prima volta volevo che dicessero il mio nome e mi indicassero sussurrando: «Come si è fatta bella!»

A passare davanti al negozio del signor Tresoldi mi vergognavo. Lo superai con la mano sulla faccia e le spalle curve. Poi mi misi a correre: in fondo alla strada c'erano i due leoni di pietra con le zampe intrecciate che mi fissavano dalle colonne ai lati del ponte.

Mi sporsi oltre la balaustra e guardai in basso, in mezzo ai sassi e all'acqua del Lambro, che in quella stagione era una striscia scura e sottile. Erano tutti lí: Filippo se ne stava coi piedi a mollo, le scarpe rovesciate sulla riva con dentro i calzini appallottolati, una mano piena di sassi che lanciava di piatto nel fiume. Matteo conficcava un grosso ramo in mezzo ai ciottoli schizzati di fango e la Malnata era seduta a sbirciare dentro un innaffiatoio di metallo.

Fu lei la prima a notarmi. Sollevò una mano e disse solo: – Scendi, – come se mi stesse aspettando.

– Da dove?

Accennò a un lato dell'argine dove l'edera era fitta e le pietre crollate.

– Mica ci riesco, a scendere da lí.

– Sí che ci riesci –. E tornò a rovistare nell'innaffiatoio affondandoci dentro una mano.

Mi voltai a spiare la gente che passava, ma nessuno badava a me o ai ragazzini giú al Lambro.

Superai il ponte tenendomi rasente alla balaustra, che si assottigliava e lasciava tra le colonne spazi abbastanza larghi per passarvi attraverso. Raggiunsi il punto dove la parete dell'argine era franata e mancavano dei mattoni. Stando attenta avrei potuto incastrare i piedi negli incroci dei rami dell'edera e calarmi fino in fondo. Ma una cosa del genere non l'avevo mai fatta e da lí a terra c'era un salto di quelli che, se per caso cadevi, il cranio ti si apriva come un uovo e a casa non ci tornavi piú.

– Sicuri che non c'è un altro modo? – gridai.

Filippo e Matteo scoppiarono a ridere, poi tornarono a fare quello che stavano facendo come se non ci fosse nulla di piú importante al mondo: lanciare sassi nell'acqua e scavare nel fango con un bastone. La Malnata sembrava essersi dimenticata di me: da lí potevo vedere solo la sua schiena, le scapole spigolose che spuntavano dallo scollo del vestito. Allora presi un respiro e pregai. Lo feci in fretta e senza promettere nulla in cambio a Gesú. Tanto non chiedevo un miracolo: solo di non cadere o che, almeno, la Malnata non si girasse a ridere di me.

Mi aggrappai alle colonnine di pietra, le gambe penzoloni. Provai ad allungarne una, ma ai rami ancora non ci arrivavo. Mi girai, la schiena verso il fiume, e iniziai a calarmi, lenta, cercando alla cieca dove poggiare i piedi. Tornai a respirare, poi guardai in basso e mi venne la nausea, allora distesi il collo mentre nel naso mi entrava il tanfo scuro dell'acqua e del fango.

Quando arrivai a terra le ginocchia cedettero. Mi sollevai spazzando via la polvere dalla gonna. La Malnata mi vide avanzare a fatica fra i sassi e le venne fuori di nuovo il sorriso con cui mi aveva fissato il giorno prima sul ponte di San Gerardino. Si alzò e si asciugò i palmi contro le cosce: – Lo sapevo che venivi.

– Pure io, – disse Filippo e lanciò un altro sasso che rimbalzò in due cerchi prima di venire inghiottito dall'acqua.

– Non è vero, – gli fece eco Matteo.

– Sí invece.

– No, invece –. Matteo usò il bastone per smuovere un masso, rivoltarlo e portare alla luce la terra nera e bagnata, lavorata dai vermi.

– Sei tu che dicevi che non ne aveva il coraggio, – replicò Filippo.

– E tu dicevi che era per forza morta.

– Che cosa significa? – chiesi con il cuore che mi batteva nella gola.

– Lui l'ha detto –. Matteo alzò il bastone per indicare Filippo e gli schizzò la terra sulla camicia pulita.

Filippo lanciò un altro sasso: – Mio padre sostiene che se mangi i noccioli della frutta poi ti cresce una pianta nello stomaco che ti esce dalle orecchie e dal naso e non riesci a respirare. La stessa cosa succede ai bugiardi.

La Malnata dovette leggermi lo spavento negli occhi perché gli si avvicinò e gli diede un pugno su una spalla: – Stai zitto tu, ché non sai niente.

Filippo guaí come un cane e si massaggiò tra l'omero e la clavicola, mordendosi il labbro inferiore coi denti, separati da uno spazio largo da passarci un dito.

Matteo rise: – Sei delicato come una femmina.

La Malnata andò verso di lui, gli strappò via il bastone e lo colpí dietro le caviglie facendolo atterrare sul sedere. Lui mugolò piano mentre lei buttava il bastone e tornava a guardarmi: – Allora, vieni con noi?

– Con voi? E dove?

– Adesso ti faccio vedere –. Andò a prendere l'innaffiatoio. Se lo mise nell'incavo del gomito e lo sollevò senza sforzo.

– Ma allora i vermi? – disse Matteo indicando con il mento nella buca di terra scura.

– Non servono piú, – lo liquidò la Malnata. – Ci facciamo bastare questi –. Si chinò a raccogliere i sandali e usò le strisce di cuoio per buttarseli intorno al collo, poi si mise a camminare lungo la riva lasciandosi alle spalle il ponte. Si portava dietro l'innaffiatoio, inarcata su un fianco per sostenerne il peso. Matteo e Filippo la seguirono, uno recuperò le scarpe, l'altro il bastone. Nessuno si offrí di caricarsi quel peso per lei. Le corsi appresso anch'io e la raggiunsi. Con le mie scarpe dalla suola liscia e le calze pulite mi sentivo fuori posto, ma mi sforzai di ostentare un tono sicuro, come il suo, e le chiesi: – Che hai lí dentro?

– I pesci, – rispose la Malnata, – ma oggi ne abbiamo presi solo tre.

– E che ci fate? – domandai, spiando nella striscia di acqua nera dove si muovevano lampi d'argento.

– Servono per prendere le lucertole.

– I pesci?

– I pesci.

– E che c'entrano i pesci con le lucertole?

– Quelli sono per i gatti, – puntualizzò lei, come a dire che il cielo stava in alto e la terra in basso.

– I gatti?

– Poi capirai, – disse, e aumentò il passo, finché vidi solo la sua schiena, l'innaffiatoio che le batteva contro il fianco e le impronte bagnate che lasciava sui sassi.

Avanzammo in silenzio come in processione, la Malnata davanti e noi dietro. Se si girava per assicurarsi della nostra presenza, scorgevo la macchia che aveva sulla tempia, tra l'occhio e l'orecchio e giú fino al mento. Papà mi aveva detto che si chiamava «angioma» e voleva dire che sotto la pelle era malata. Mamma aveva detto che era il segno delle labbra del demonio e se pensavo alla Malnata facevo peccato. Chiunque altro l'avrebbe nascosto con i capelli, quel segno che poteva essere una malattia e una maledizione insieme. Lei no.

Intorno a noi c'erano i rumori della vita del Lambro che mi spaventavano: lo strusciare dei ratti, i versi rochi delle anatre e il gocciolare dell'acqua dilatato dall'eco, all'ombra umida dei ponti.

La Malnata si fermò appena raggiungemmo quella che chiamavano «la discesa della cascata», il punto in cui il letto del Lambro si curvava in un inchino a mezzaluna e quando c'era la piena l'acqua gorgogliava e schiumava. Adesso, invece, con il fiume in secca, si divideva in rivoli sottili. La Malnata lasciò a terra l'innaffiatoio, indicò dinanzi a sé. Era lí, negli spazi di pietra asciutta dove cresceva l'erba selvatica, che stavano i gatti. Alcuni si stiracchiavano sulla pietra rovente, altri si muovevano nell'erba alta e soffiavano.

– E adesso sta' a vedere, – disse la Malnata. Si tenne su la manica del vestito e rimestò nell'innaffiatoio. Afferrò uno dei pesci e lo strinse, poi, a piccoli passi, si avvicinò ai gatti.

Rimasi a osservarla mentre si chinava. Arrivò vicino a uno dei gatti, nero come pane carbonizzato e con gli occhi lucidi e bianchi, che rizzò la coda. Tra i denti aveva una lucertola grassa, di un verde luminoso. La Malnata sollevò il pesce e lo offrí all'animale, che lasciò andare la lucertola e menò un colpo di zampa verso l'alto nel momento in cui lei lanciava il pesce lontano. Il gatto scattò, la Malnata fece lo stesso, con movimenti rapidi. Si gettò in mezzo all'erba, poi si alzò in piedi.

– Guarda che grossa, – urlò, mentre la lucertola le si dimenava nel pugno. Con l'altra mano le prese la coda e la strappò. La teneva tra indice e pollice e la coda continuava ad arrotolarsi intorno alle sue dita.

Filippo e Matteo pescarono nell'innaffiatoio. – Adesso ne prendo una piú grossa ancora, – la sfidò Filippo.

– Ma se te le fai sfuggire tutte, te, – gli fece eco Matteo, ridendo con la sua risata forte e alzando in alto uno dei pesci. Intanto Filippo annaspava frugando nell'innaffiatoio.

Matteo e la Malnata si lanciarono giú per la discesa prendendosi a gomitate e non si riusciva a capire se stessero facendo a gara a catturare le lucertole o a farsi riempire di graffi dai gatti. Tornarono con i pugni pieni di code di lucertola, tendendo le braccia per confrontarsi le ferite e contarsele a vicenda. Filippo invece aveva le maniche della camicia bagnate, le mani vuote. Rimaneva in disparte dando calci ai ciuffi d'erba e spaventando i gatti.

– E di quelle che te ne fai?

– Le conservo, – rispose la Malnata infilandosi in tasca le code, – tipo trofei.

– E dove le tieni?

– Sotto il letto. In un barattolo con l'aceto –. Si passò due dita su uno dei graffi, succhiò i polpastrelli, poi mi chiese: – Vuoi provare anche tu?

– Mi sa che non sono capace.

– Ha paura. È una femmina, – disse Matteo, sputò quella parola come se fosse un boccone viscido del grasso della carne che per quanto ti sforzi non riesci a mandar giú. La Malnata, non la chiamava cosí.

– Non è vero che ho paura, – dissi con rabbia.

La Malnata fece un sorriso sfrontato: – Fammi vedere.

– Ma un gioco diverso non lo volete fare? – azzardai sfuggendo al suo sguardo.

– E che gioco? – disse Filippo, che forse era il primo a non divertirsi in quella gara ad acchiappare le code.

– Non lo so. Uno senza le lucertole, – dissi alzando le spalle. – Magari possiamo fare che quella era la nave e noi i pirati come nei romanzi del Corsaro Nero, – e indicai un grosso tronco caduto di traverso per la discesa.

– No, – tagliò corto la Malnata. E le venne d'improvviso una faccia seria, occhi che avrebbero potuto uccidere.

– E perché? – chiesi, ma avevo la bocca asciutta.

– Perché l'ho detto io.

– Alle cose per finta non giochiamo mai, – spiegò Filippo scrollando le spalle.

– Perché no?

– Perché poi è pericoloso, – disse Matteo mettendosi a giocare con le code che aveva nel pugno.

– Pericoloso? – chiesi.

La Malnata non mi considerava piú. Aveva ficcato lo sguardo oltre il Lambro e al di là del ponte, come se stesse cercando qualcosa che aveva perso.

Fu in quel momento che le campane del duomo si misero a suonare. Li contai: dodici rintocchi. Dodici rintocchi e le uova non le avevo ancora comprate.

La Carla non avrebbe finito la torta per pranzo e mamma avrebbe dato la colpa a me. O forse sarebbe stata la Carla a essere punita, a causa mia.

– Devo andare, – dissi affondando la mano nella tasca dove avevo custodito la moneta.

– Dove? – chiese Filippo.

– Dal signor Tresoldi a prendere le uova, – risposi e mandai giú uno gnocco di saliva. Al solo pensiero mi si fermava la paura nelle viscere. – Quelle che avevamo in casa le ho fatte cadere per poter uscire, – continuai cercando l'approvazione della Malnata.

Lei scoppiò a ridere: – Le hai fatte cadere apposta?

Annuii appena.

La Malnata sollevò il mento: – Ci vengo io con te.

– Ma non hai paura?

– E di che cosa?

– Del signor Tresoldi. Se lo ricorda, che gli avete rubato le ciliegie. Lo sa che siete stati voi.

– Non c'ho paura di niente, io.

6.

Camminammo appaiate lungo via Vittorio Emanuele lasciandoci alle spalle il ponte. Io con i pugni nelle tasche, la Malnata che governava il manubrio della bici e si teneva sollevata su un pedale. La gente si girava. Non ero abituata a quel genere di sguardo e me lo sentii addosso come uno strato di sporco. La Malnata, invece, se ne andava con la testa dritta e pareva non farci caso.

– Stai sanguinando.

– E allora? – Sollevò un braccio e si mise a leccare il lungo taglio in rilievo, gonfio e arrossato, che le si era aperto dal polso fino al gomito. – Cosí il bruciore passa prima.

Il negozio del signor Tresoldi era in fondo alla strada, aveva l'insegna di latta, i manifesti delle tolle di estratto di pomodoro e le vetrine tutte opache a causa di una pulizia frettolosa, fatta di acqua e carta di giornale.

La Malnata appoggiò la bici vicino alle cassette di frutta impilate davanti all'ingresso e salí i tre scalini. – Vieni? – Fece un gesto come a dire: mica ti aspetto.

La raggiunsi e mi costrinsi a entrare; un campanello tintinnò al nostro passaggio. Dentro c'era l'odore terroso delle patate, scatole di conserve impilate negli scaffali piú alti e fiaschi di vino; l'aria era umida e calda. In piedi su una scala di ferro appoggiata alla parete con le mensole delle confetture Cirio e un calendario del duce, c'era Noè, le bretelle slacciate e un barattolo di marmellata di fragole in mano. Si girò dando un sospiro non appena ci vide.

– Mo vengo, – fece il signor Tresoldi dal retrobottega. Emerse dalla porta di vetro smerigliato con la scritta: «Non entrare». Dall'altra parte venivano i rumori del cortile: l'abbaiare del cane, lo starnazzare delle oche. Strofinava le dita in uno straccio annerito avvicinandosi con i suoi passi sconnessi.

Venne avanti, alla luce appannata che filtrava dalla vetrina, e fu allora che ci riconobbe. Gli occhi gli si fecero duri e sottili, aveva le mani larghe con i dorsi tagliuzzati dalle spine dei carciofi e lo sporco sotto le unghie: – Che ci fate voi qua?

In bocca avevo il sapore acido di quando mamma mi dava la Magnesia.

La Malnata mi ficcò un gomito in un fianco. Inghiottii la paura e dissi: – Devo comprare un cartone di uova. Uno di quelli grandi. Sono la figlia della signora Strada. Mi manda lei.

– Lo so chi sei, – ribatté lui gettandosi lo straccio su una spalla, poi indicò la Malnata, – e so anche chi l'è 'sta qui. *Per pinina che la sia, la surpasa el diavul in furbaria* –. La parola *diavul* mi fece spavento.

– Ce li ha, i soldi, – disse la Malnata alzando il mento. – Le uova le paga e gliele deve dare per forza.

Aprii il pugno con dentro le cinque lire e le mostrai.

Il signor Tresoldi ci squadrò, un lungo sguardo silenzioso. Ero sicura che ci avrebbe spaccato la testa con lo schiaccianoci di ferro appeso al gancio vicino al sacco delle nocciole, invece si passò la lingua sui denti e disse: – Io ai ladri non ci vendo nemmeno un torsolo di mela. A chi ruba anche solo una volta non si perdona mica.

– E a lei che ha rubato la macelleria al signor Fossati, chi l'ha perdonata? – disse la Malnata in un fiato. Il signor Tresoldi soffiò dalle narici e indicò l'uscita ringhiando: – Non tornate piú o vedete che vi faccio. Vi do in pasto alle oche.

Uscimmo di corsa, io con le spalle basse e senza respiro, la Malnata sbattendo apposta i piedi sulle piastrelle. Il signor Tresoldi, dall'interno del negozio, gridò: – Attenta a non tranciarti la coda, Malnata.

Ci fermammo appena sotto gli scalini. Lei mostrò la lingua, poi mi disse: – Non piangere. Piangere è da idioti e non serve.

– Non ci riesco, – tirai su dal naso, mi asciugai le lacrime con un braccio. – Perché gli hai detto quella cosa?

– Perché è vera, – sbuffò lei, – e ce le possiamo anche andare a prendere da sole, le uova. Gli facciamo vedere.

– Ma non l'hai sentito? Ha detto che se torniamo ci dà da mangiare alle oche.

– Solo se ci scopre, – fece uno dei suoi sorrisi cattivi. Poi la faccia le si contrasse.

– Che c'è?

Indicò l'ingresso del negozio.

Mi voltai: Noè stava in piedi sulla soglia, con quei capelli riccissimi e scuri, cosí gonfi che avrei potuto perderci tutt'e due le mani se ce le avessi affondate.

– Che vuoi? – gli disse la Malnata.

Noè esitò un istante, poi ci raggiunse: – Tieni, – disse porgendomi un cartone con dodici uova.

– Perché? – chiesi e le strinsi al petto.

Alzò le spalle: – Erano queste che volevi, no?

– Grazie.

I suoi occhi del colore delle castagne fissarono i miei

e io avvampai. Gli tesi la moneta ma lui scosse la testa: – Devo tornare dentro sennò si arrabbia –. Mosse appena la mano e fece un sorriso a metà prima di chiudere la porta. – Allora ciao.

Il cartone di uova era ancora caldo e aveva il suo odore: un odore di animale e di selvatico, di tabacco scuro, un odore che, mi resi conto, mi piaceva.

– Non lo so mica se di lui ci possiamo fidare, – disse la Malnata.

A casa mi guardai a lungo nello specchio del bagno. Avevo la guancia arrossata dove mamma mi aveva dato uno schiaffo perché era rimasta ad aspettarmi e io non tornavo. Avevo anche rovinato il vestito e mi ero sporcata le scarpe. – Dove eri finita, disgraziata? – mi aveva urlato addosso. Io ero stata zitta.

Adesso, in piedi, aggrappata al lavello, con solo la biancheria e il vestito che gocciolava fradicio dallo stendino sopra la vasca, dicevo: – Non c'ho paura di niente, io.

Mi misi a studiare una sbucciatura rosa e lucida sull'omero: dovevo essermela fatta scendendo tra l'edera e le pietre crollate. Ero fiera di quella ferita, ma in confronto alle braccia della Malnata, tutte piene di graffi, era cosa da poco.

– Non c'ho paura di niente, – ripetevo tenendo il mento alzato, sforzandomi di cogliere nel mio viso, che avevo sempre ritenuto banale, i tratti di lei.

Da una parte c'era la vita come la conoscevo, dall'altra come me la mostrava la Malnata. E quello che prima mi pareva giusto diventava deforme come il riflesso nell'acqua del lavabo quando ti sciacqui la faccia. Nel mondo della Malnata si gareggiava a farsi graffiare dai gatti e il dolore si leccava via insieme al sangue. Era un mondo in cui non si poteva giocare a far finta di essere qualcosa che non eri e si parlava coi maschi guardandoli negli occhi.

Lo osservavo ferma sull'orlo, il suo mondo, pronta a scivolarci dentro. E non vedevo l'ora di cadere.

7.

Quel sabato papà annunciò di aver invitato a pranzo una persona importante. Era un evento straordinario perché, da quando ci eravamo trasferiti nella casa piú piccola, mamma non aveva voluto ricevere nessuno. Spiegò alla Carla che doveva camminare piano, con la schiena dritta, tenere le labbra serrate e cucinare per bene: il brodo con i tortellini, senza il dado, che era da poveri, ma con la carne e le verdure tagliate di fresco, per secondo l'arrosto con il ripieno, che a me faceva schifo. Intanto lei si mise il vestito stretto in vita che le lasciava scoperte le caviglie, la collana di perle e gli orecchini coi brillanti. Poi tirò fuori da un cassetto la fotografia di Mussolini e la mise in bella vista sulla credenza.

L'ospite di papà e sua moglie arrivarono in ritardo senza chiedere scusa. Lei arricciò il naso davanti alla coperta di trina sullo schienale del sofà, lui si pulí sul tappeto lo sporco attaccato agli stivali. Lo riconobbi per il modo arrogante che aveva di posare lo sguardo sulle cose come se fossero lí apposta per lui, compresa mia madre. Il signor Colombo le sfiorò le dita con le labbra, si sistemò il distintivo appuntato sulla giacca. Anche se lui e la sua macchina non gli erano mai piaciuti, papà si chinava fino a terra e diceva: «Signore, prego, si accomodi». Mamma aveva fatto indossare alla Carla la divisa e la crestina, le aveva detto: «Se mi fai fare figure, poi vedi».

Io dovevo rimanere composta, i gomiti attaccati ai fianchi, il tovagliolo sulle cosce, e stare in silenzio «come una brava signorina» mentre i grandi facevano discorsi da grandi e papà rideva per qualcosa che aveva detto il signor Colombo. Dovevo sorridere, dire «grazie» e «per piacere», rispondere solo se interpellata. Dovevo bere il brodo senza far rumore e scegliere le forchette nell'ordine giusto.

Mamma mi aveva sempre riempita di raccomandazioni su come stare a tavola e non mi aveva mai rimproverata per un brutto voto: mi preferiva beneducata anziché istruita. C'erano cosí tante regole che mi passava la fame, cercavo la complicità di Carla, che faceva le smorfie da dietro le spalle di mamma per tenermi allegra. L'arrosto non riuscivo a mangiarlo. Era rovente e il ripieno verde e molle. Ma un'altra regola era che il piatto non si toglie dal tavolo se non è vuoto. Allora tagliai ogni fetta in pezzi piccolissimi, li lasciai cadere di nascosto dalla punta della forchetta fino al tovagliolo dispiegato sulle gambe. Intanto papà agitava le mani e descriveva feltro fiammingo e fettucce intrecciate. Il signor Colombo annuiva fingendo di riuscire a seguire anche quando papà parlava di imbastitura e dei modi in cui si dà al cappello la forma. Ripeteva: – Un vero fascista mantiene la sua parola, signor Strada. Le farò avere l'accordo.

Fu allora che capii: pur di salvare la sua fabbrica, papà sarebbe stato disposto a levarsi il cappello anche di fronte al diavolo.

Parlarono quasi solo gli uomini; mia madre e la signora Colombo si limitarono a complimentarsi per cose da nulla: i colori delle tende e lo splendore dell'argenteria, il complicato ricamo in macramè della tovaglia, che era del corredo.

Carla mi ritirò il piatto; avevo sulle cosce un fagotto umido e caldo che colava. Mentre mamma diceva: – Gradite un dito di Maraschino, signor Colombo? E lei, signora, magari una pasta? – io pensavo a una scusa per alzarmi. Tirai indietro la sedia: – Vado ai servizi. Vogliate scusarmi –. Il tovagliolo scivolò e cadde con un tonfo viscido. Carla, che stava passando con la bottiglia di vino, ci mise un piede sopra e, per un attimo, perse l'equilibrio. La bottiglia le scivolò di mano e si rovesciò in mezzo al tavolo facendo crollare piatti e bicchieri del servizio buono e allagando tutto di rosso. Il signor Colombo si alzò, le gambe e il petto infradiciati di vino, e urlò una brutta parola, di quelle che se le dici per sbaglio poi devi recitare dieci *Ave Maria* e farti due volte il segno della croce. Mamma non disse niente al signor Colombo. E nemmeno papà. Guardavano me. Mi guardavano come una coda di lucertola staccata da buttare nel fiume.

La domenica finsi di essere malata.

Mi svegliai presto, prima che Carla entrasse a dirmi «ve', ti, pelandrona, sveglia», e mi strofinai la fronte fino a sentire caldo, poi mi passai sulla faccia una pezza di stoffa che avevo immerso nell'acqua bollente. Scottava da far male.

Andai in camera di mia madre, a piedi nudi, con solo la camicia da notte. La trovai seduta davanti alla specchiera che saggiava la temperatura del ferro con un dito bagnato di saliva. Sul comodino aveva aperta a metà «Mani di fata», la rivista di cucito e ricamo che si faceva spedire ogni mese per tenersi aggiornata sull'ultima moda in fatto di lavori femminili. La stava usando per tenere i bigodini incastrati nella rilegatura, ché non rotolassero via. – Mettiti le pantofole. Solo gli straccioni se ne vanno sempre in giro a piedi nudi.

– Non mi sento bene, – dissi frizionandomi le braccia come se avessi freddo.

Lei studiò il mio riflesso dentro lo specchio: – Vieni un po' qui.

Mi avvicinai, lei allontanò il ferro rovente, mi prese il mento con una mano e mi appoggiò le labbra sulla fronte. – Scotti, – disse, – e sei tutta sudata! Hai visto che succede ad andarsene in giro in mezzo al fango? Lo sapevo, io. – Mi dispiace.

– Poche storie. Tornatene a letto, ti faccio portare l'Ischirogeno dalla Carla, – disse arricciando una ciocca intorno al ferro.

Papà era in bagno, il collo e il mento bianchi di crema da barba. – Non sei ancora pronta? – mi chiese quando passai per tornarmene in camera.

– Ho la febbre.

Lui esitò, la schiuma che scendeva a goccioloni sul ripiano del lavello. – Tua madre lo sa?

Annuii.

– Bene, – batté la lametta sul bordo del lavandino, poi se la passò sul collo, – molto bene.

Carla piegava la brandina che usava per la notte, la riponeva dietro al sofà: – Vuoi che ti porto qualcosa da mangiare?

Feci segno di no, la ringraziai fingendo un colpo di tosse prima di tornare in camera.

Rimasi sdraiata a letto a respirare con una mano sul cuore, ad ascoltare i rumori familiari della domenica mattina: il suono delle tazze in cucina e lo strusciare delle ciabatte in corridoio che veniva sostituito da quello dei tacchi bassi di mamma. «Siamo in ritardo», diceva papà. «Devo trovare la mia borsetta, – diceva mamma, – e il cappello, dov'è finito il mio cappello? No, non quello lí, quello con la veletta turchese».

Non vennero a vedere come stavo.

Mi sollevai non appena li sentii uscire. Allora mi sfilai

la camicia da notte e presi un vestito vecchio, di quelli
che stavano sul fondo dell'armadio in attesa che mamma li riaccomodasse. Lo specchio rimandava un'imma-
gine di me a cui non ero ancora abituata, piena di gon-
fiori inattesi, di curve morbide all'altezza dei fianchi e
delle cosce. Sul bicipite e sul polpaccio mi erano venuti due lividi viola di cui ero fierissima. Mi feci scivolare
addosso l'abito, il tessuto si tendeva sul petto e sotto le
ascelle. Le scarpe non le indossai, attraversai il corridoio tenendole in mano.

La Carla era in cucina a rassettare e cantava, stonata:
«Nell'amor si fa sempre cosí. Dammi un bacio e ti dico
di sí». Aveva acceso la radio. Mio padre la usava solo per
ascoltare i discorsi degli uomini forti che stavano a Roma, ma quando la Carla era sola in casa, la radio diffon-
deva musica.

Arrivai alla porta che mi sentivo male per quanto avevo
trattenuto il respiro. Abbassai la maniglia e da dietro una
voce disse: – Passata presto l'infreddatura. Sant'Alessan-
dro ha fatto il miracolo?

La Carla aveva i pugni sui fianchi. Mi scrutò a lungo,
poi scoppiò a ridere: – Com'è che si chiama?

Cercai di balbettare qualcosa, ma mi accorsi che il nome della Malnata non l'avevo mai saputo.

– Non è che è uno che allunga le mani, ve'? *Minga a ti
ca ta se dumà una tuseta.*

Allora capii che la Carla stava pensando a tutta la faccenda dei ragazzi e delle ragazze di cui parlava mia madre
ricordandomi che ero «solo una femmina» e che a quelle
cose non ci dovevo pensare perché facevo peccato. La Carla invece doveva ritenere che tra femmine e maschi era un
fatto naturale e non si doveva avere vergogna, ma io ero
solo una bambinetta.

– Noè, – dissi senza pensarci, – Noè Tresoldi.
La Carla alzò gli occhi: – *Te convien turna a ca' prima che finisse la messa, va'*, – disse, – o bada che nei guai ci finisco io.

Tutta via Vittorio Emanuele la feci di corsa, senza prestare attenzione alla gente ben vestita e pettinata che saliva verso piazza Duomo. Ero sicura che i miei genitori non li avrei incrociati. Senza di me, che li facevo rallentare, di certo erano già in chiesa, cosí mamma avrebbe preso i posti migliori. Rifiatai solo quando raggiunsi il ponte, le guance e i polpacci che bruciavano. Mi sporsi dalla balaustra e lei non c'era. C'era il Matteo Fossati, da solo. Con la schiena piegata e i piedi scalzi sui sassi, i pantaloni corti e il petto nudo. Affondava le mani nel Lambro e tirava fuori i pugni vuoti, imprecando. Mi affacciai nel punto franato dell'argine e lo chiamai. Lui mi scrutò come se fossi un sapore sgradevole che ti ritorna in bocca: – È inutile che scendi. Oggi non viene.
– Perché?
– E a te che te ne frega?
– Ha detto dove andava?
– Se dice che non viene, non viene e basta.
Che potevo fare? Tornare a casa non volevo. Addosso avevo ancora l'eccitazione della corsa e della febbre che avevo inventato.
Le campane suonarono le undici. Con lo sguardo a terra, attraversai il ponte per correre a controllare dall'altra parte, che magari mi stavano facendo uno scherzo o giocavano a nascondersi.
Fu allora che sentii uno stridio e un urlo. Sussultai, bloccandomi in mezzo alla strada: il muso dell'auto verniciata di nero digrignava i denti a un palmo dalla mia faccia. Vidi il mio spavento dentro i fanali lucidi mentre una donna

con un foulard al collo si sporgeva dal posto del passeggero
e urlava: – Volevi farti investire?

– Ma non è la figlia degli Strada? – disse il guidatore
levando la mano dal clacson e allungandosi oltre il fine-
strino: il signor Colombo fece un sorriso untuoso. – Tuo
padre ti lascia andare in giro come un randagio?

– Considerando come le hanno insegnato a tenersi gli
avanzi della tavola, non mi stupisce, – disse la signora
Colombo. Mi studiò con occhi severi e allora ebbi paura.
La signora Colombo squadrava sempre mia madre dall'alto in basso, ma forse, per darle un dispiacere e farla vergognare, sarebbe stata contenta di dirle di avermi visto
per strada, da sola e con addosso un vestito che pareva
uno straccio.

Mi spostai per farli passare, tutta calda in faccia, agitata
al pensiero che sarebbe bastata una loro parola sussurrata
in fretta durante la funzione per farmi scoprire. Sul sedile
di dietro riconobbi Filippo con la divisa da Balilla, la nappina nera sul cappello, la indossava come ne avesse vergogna. Accanto c'era Tiziano, il fratello piú grande, anche
lui biondo, i capelli lucidi di brillantina tanto da sembrare
un pezzo unico, la camicia nera abbottonata fino al collo,
la pelle chiarissima. La macchina ripartí, salendo verso il
duomo appena in tempo per la messa; lui mi salutò con un
cenno; Filippo invece cercava di sprofondare e nascondeva
la faccia con le mani. Quando c'era la Malnata non importava di chi eri figlio, delle cose che ti avevano insegnato
a odiare e di quelle in cui volevano obbligarti a credere.
Non importava se il papà di Matteo era uno di quelli che
chiamavano i «Rossi» e quello di Filippo lucidava la spilla
del fascio non tralasciando mai di fare il saluto al ritratto
di Mussolini. Senza di lei, invece, questi due mondi tornavano a essere inconciliabili.

Forse si era ammalata per davvero e se solo avessi saputo
dove abitava sarei andata a trovarla, a vedere se magari tutti
quei tagli sulle braccia si erano infettati e la stavano ucci-
dendo. Mia madre diceva che sotto le unghie dei gatti c'e-
rano le malattie e se ti graffiavano ti si avvelenava il sangue.
Mi sedetti sul marciapiede e tenni quella paura nei pugni serrati sul ventre.
    – Che fai lí cosí? – Noè mi guardava dal sellino della
sua bici, le cassette della frutta sul portapacchi, una bre-
tella slacciata che gli dondolava contro la coscia. – Allora?
    – Niente.
    – Niente?
Scrollai le spalle.
    – Va bene, – mandò giú il pedale drizzando la schiena.
Mi alzai. – Aspetta.
Lui tornò a poggiare il piede a terra, tenendo in equilibrio la bici.
    – Non so dove cercarla, – dissi, cautamente.
    – Lo sai che tutti dicono che è meglio starle alla larga?
    – Lo so.
    – E non t'importa?
    – Non m'importa.
Scoppiò a ridere: – Se vuoi, io so dove abita.
    – Davvero?
    – A volte nel suo palazzo vado a fare le consegne. Sta
in via Marsala, vicino alla Singer. Prima del risanamento
viveva al quarto piano di una palazzina in Sant'Andrea,
ma poi hanno abbattuto le case –. Picchiò un palmo sulla
canna della bici: – Ti ci porto io.
    – Adesso?
    – Adesso.
Una cosa cosí non l'avevo mai fatta: salire sulla bici di un
maschio, in equilibrio sulla canna come le fidanzate.

– D'accordo, – dissi e lui mi aiutò a tirarmi su. Mi aggrappai al manubrio con tutt'e due le mani. Noè iniziò a pedalare, coi gomiti e le ginocchia larghe per farmi spazio: – Tieniti. Sentivo lo stomaco chiuso e pesante anche se non avevo fatto colazione, dietro il collo e sotto le ascelle la sensazione appiccicosa del sudore mentre la canna della bici mi faceva male alle cosce.

Noè salí senza sforzo fino al duomo, svoltò in via Italia, in piedi sui pedali, scartando la gente che passeggiava. All'altezza della stazione tornò ad appoggiarsi sul sellino, le sue gambe mi sfioravano i fianchi. Non ero mai stata nei quartieri oltre la stazione, dove iniziava la periferia, ma soprattutto non ero mai stata tanto vicina a qualcuno e non sapevo cosa dire. Per fortuna lui stava zitto e attento alla strada. Le sue clavicole mi premevano contro la nuca e i miei capelli gli strusciavano sul mento. Aveva le guance ruvide, ma solo appena, e una sigaretta rollata a mano infilata dietro l'orecchio.

– Siamo arrivati, – disse, ma io al percorso avevo smesso di fare caso. Studiavo i tendini delle braccia contratti sotto la sua pelle, respiravo il suo odore, che sapeva di fatica e di tabacco.

Staccai lo sguardo e lo lasciai vagare intorno: i palazzi di via Marsala erano grandi e diritti, con i balconi lunghi e le finestre quadrate, fra loro identiche, come la fiancata di una nave.

Dalla parte opposta c'era la fabbrica Singer, inaugurata da meno di due mesi, imponente e silenziosa, con i cancelli chiusi e i manifesti delle macchine da cucire.

– Il portone è questo, – Noè mi fece scendere, – lei sta al sesto piano.

– Tu non vieni?

Fece un sorriso che mostrò denti bellissimi. – C'ho le consegne da fare, – e indicò con il pollice le ceste di frutta sul portapacchi.

Nel negozio assieme al padre non l'avevo mai visto ridere.

– A casa poi sai come tornarci?

– Sí, – dissi, perché non volevo fare la figura della bambina.

Spinse sui pedali e filò via senza darmi il tempo di dirgli grazie.

Non mi era mai capitato di stare cosí lontano da casa da sola e quella parte della città, vecchia e piena di ombre, con le strade vuote e i palazzi altissimi, mi opprimeva. Dalle finestre aperte per il caldo arrivavano le voci della gente, gli odori delle cucine.

All'ingresso del palazzo non c'era la portineria, i battenti erano aperti. Mi guardai intorno per cercare qualcuno cui chiedere il permesso, ma non c'era nessuno.

Feci tutti e sei i piani a piedi, fermandomi a prendere fiato sui pianerottoli intasati dalle biciclette. Fin sulle scale filtrava la puzza dei gabinetti in fondo ai corridoi.

L'appartamento della Malnata lo riconobbi per via della bici piena di ruggine e con il manubrio ritorto, appoggiata alla ringhiera del ballatoio. Sulla porta c'era una targa d'ottone con scritto: «Merlini».

Rimasi a lungo con una mano sollevata, contando i respiri e dicendomi che, arrivata al dieci, avrei bussato, ma mi sembrava di perdere il conto e ricominciavo.

Dall'altra parte uno scoppio di risa.

Raccolsi il coraggio e bussai. Piano, all'inizio, poi piú forte. Le risate si fermarono, sentii qualcuno che diceva: – Maddalena, vai a vedere.

Trattenni il fiato; i passi si avvicinavano all'ingresso e

pensai di scappare. Mi assalí la paura di avere sbagliato casa e che mi sarei trovata di fronte a una sconosciuta. O, peggio ancora, che l'appartamento fosse quello giusto, ma che lei mi avrebbe cacciata.

La porta si aprí e mi apparve la Malnata. Aveva la faccia pulita, un vestito leggero e i piedi nudi. Teneva stretti in mano nastri color avorio e scampoli di pizzo.

– Che fai qui?

– Allora è cosí che ti chiami, – balbettai, – è un bel nome, Maddalena.

La faccia le si contrasse in una smorfia. – Che sei venuta a fare?

– Al Lambro non ti ho trovata. Pensavo fossi malata.

– Io non mi ammalo mai, – replicò sbrigativa, – non ci dovevi venire, a cercarmi.

Da dentro casa giunse una voce maschile: – Maddalena, chi è?

Arretrai, feci per correre via.

Lei sbuffò. – Va be', adesso che sei arrivata fin qui entra, no?

La seguii per uno stretto corridoio dalle pareti spoglie che finiva in una stanzetta piena di luce. C'era la «cucina economica» smaltata con il piano in ghisa e lo sportello per il fuoco. Appeso al muro, vicino al crocifisso e alla Madonna, un riquadro di latta con una piccola lavagna: «Cosa manca oggi?» Qualcuno aveva scritto sotto col gesso: «Tutto», e piú sotto, in una grafia diversa: «Ma prima il latte». Agli angoli della credenza, tra il legno e il vetro, erano infilate vecchie foto e un rametto secco d'olivo.

In mezzo alla stanza, in piedi sul tavolo da pranzo, c'era un ragazzo con indosso un vestito da sposa. I pantaloni da lavoro e le calze nere spuntavano da sotto il pizzo della gonna che gli arrivava a metà dei polpacci e la testa sfiorava una lampadina nuda. – Ciao, – mi sorrise alzando una mano.

Due ragazze sedevano su sgabelli di paglia intrecciata, ai lati opposti del tavolo pieno di scampoli di tessuto, cuscinetti infilzati di spilli e metri da sarta srotolati. Erano intente a imbastire l'orlo della gonna da sposa. Una delle due portava il rossetto, aveva i capelli scuri tagliati corti con la virgola sulle guance e gli stessi occhi neri di Maddalena: – Stai un po' fermo o devo ricominciare da capo.

L'altra ragazza aveva una chioma bellissima sciolta sulle spalle, il petto gonfio e gli occhiali. Teneva della stoffa sulle ginocchia e un centimetro al collo, infilò l'ago nel tessuto: – Meno male che non c'è fretta, – disse arrotolandosi un filo bianco intorno al pollice e strappandolo coi denti.

– Però abbiamo solo la domenica per sistemarlo, – disse la ragazza con il rossetto.

Riconobbi nel ragazzo col vestito da sposa il fratello grande della Malnata, Ernesto, che la accompagnava ai parchetti ad arrampicarsi sugli alberi e da un mese lavorava alla Singer. Aveva braccia forti e un viso dai lineamenti morbidi, capelli scuri, spettinati, e sugli zigomi l'ombra di ciglia lunghissime.

Le altre due invece non le avevo mai viste. Piú tardi venni a sapere che lavoravano a cottimo per la signora Mauri, che era modista e aveva un negozio in centro. Quella con il rossetto si chiamava Donatella ed era la sorella maggiore della Malnata. L'altra era la Luigia Fossati, sorella grande di Matteo, che da marzo era fidanzata con Ernesto: quell'inverno si sarebbero sposati. Da mesi stava sveglia fino a tardi a foderare cappelli, attaccare bottoni e sistemare giacche eleganti per i viaggi degli altri, cercando

di risparmiare quanto bastava per due biglietti ferroviari
e una camera in uno di quei grandi alberghi di Nervi. Ne
avrebbero cercato uno con il terrazzo, in cui passare una
settimana dopo le nozze a vedere il mare e prendere il caffè al sole come fanno i signori. Per accomodare il vestito
da sposa aveva solo la domenica e Donatella le dava una
mano. Ernesto faceva da manichino perché era della stessa altezza della Luigia e aveva i fianchi larghi, come una
femmina. O forse solo perché era divertente.

Maddalena mi presentò. Chissà come faceva a sapere il
mio nome. Non glielo avevo mai detto. Disse che ero una
sua amica e io fui fiera e spaventata che mi considerasse
tale. La verità era che, di amiche, non ne avevo mai avute.

Feci un piccolo inchino: – Piacere.

Ernesto si scusò per lo stato in cui l'avevo trovato e le
ragazze si misero a ridere. Donatella disse che Maddalena non invitava mai nessuno a casa, forse si vergognava
di loro. Lei incrociò le braccia, si adombrò.

– Non avrebbe tutti i torti, considerando come mi avete
conciato, – disse l'Ernesto ridendo. La sua risata suonava
come le campane della festa.

– Finiscila di ridere ché poi l'orlo viene storto, – disse
Donatella, l'ago tra indice e pollice, prima di succhiare il
filo per renderlo umido e farlo entrare nella cruna.

Luigia guardava l'Ernesto con gli occhi che le brillavano; rideva anche lei, una risata a bocca aperta.

– Pensavo che far vedere il vestito allo sposo portasse
sfortuna, – dissi.

– Tanto ormai mi sposa lo stesso. A cambiare idea non
è più in tempo.

– Mi mettono la gonna, cosí fuggire è piú difficile.

Mi offrirono una pasta da un piccolo vassoio di carta
dorata appoggiato sulla credenza.

Dissi che prima dovevo andare ai servizi. Il bagno era sul ballatoio, Maddalena mi accompagnò e aspettò fuori. Entrai tappandomi il naso per la puzza. Non c'era il gabinetto, solo un buco nella ceramica e due scalini dove poggiare i piedi. Non c'era nemmeno lo sciacquone, ma una vecchia scopa con il fondo rovinato. Appesi a un gancio, fogli di giornale. Chiusi la porta, ma il lucchetto non c'era, e nemmeno la serratura. Sul lato interno qualcuno aveva scritto: «Non si dice di far centro, ma si prega di farla dentro».

– Hai una bella casa, – dissi rientrando.

Maddalena fece un sorriso amaro: – Che ne sai te, che sei una sciura?

Mi fece lavare le mani nell'acquaio della cucina con il blocco di Marsiglia che sapeva di lavanderia.

Luigia e Donatella stavano aiutando Ernesto a sfilarsi l'abito da sposa dalle spalle, piano, per non rovinare l'imbastitura. Lo ripiegarono sullo schienale di una sedia, Luigia lo carezzò appena con la punta delle dita.

Ci disponemmo intorno al tavolo a mangiare le paste: il profumo di vaniglia impregnava la stanza.

– Dovremmo aspettare dopo mangiato, ma arriva un cosí buon profumo.

– Lasciane una alla mamma, – disse Donatella colpendo il braccio dell'Ernesto, che stava per mangiare il terzo bignè di fila.

Festeggiavano perché il lavoro alla Singer, anche se l'aveva iniziato da poco, pagava bene e presto ancora meglio: Ernesto sarebbe diventato caporeparto. Aveva già cominciato a cercare gli affitti e aveva trovato un appartamento buono in via Agnesi, solo due stanze, ma ben luminoso. Con il suo stipendio e quello da modista di Luigia potevano anche permettersi di arredarlo come si deve, magari persino prendersi una ghiacciaia, se stavano attenti a risparmiare.

– Sbrigatevi a fare tanti figli, che Mussolini vi dà un sacco di soldi, – disse Donatella.

Luigia arrossí, le labbra sporche di zucchero a velo.

– Può anche darcene un milione. Io da quello lí non voglio niente, – disse l'Ernesto.

– Quanto la fai lunga, – sbuffò Donatella, – quando mai li vedi tutti quei soldi, sennò? Un po' di soldi in piú mica fanno male. Cosí le prendi una bella casa, alla Luigia, che se la merita.

– Come ha preso le paste prende anche la casa, – disse Maddalena. – Non ha bisogno dell'aiuto di nessuno, lui –. Fece un'espressione offesa e non mangiò piú.

Fu l'Ernesto a riaddolcire l'atmosfera. Aprí le finestre e scostò le tende per far entrare insieme al caldo la musica che veniva da una radio accesa in qualche altro appartamento. Una per una ci fece ballare, sul balcone, le arie di Beniamino Gigli e le canzonette di De Sica. Io ero rigida e dritta come una scopa, Maddalena si muoveva leggera e conosceva tutti i passi. Era bastata la risata dell'Ernesto, il suo ostinato buonumore, per farle passare l'arrabbiatura.

Quando fu il turno di Luigia, l'Ernesto la strinse a sé, e dondolarono l'uno con la fronte appoggiata a quella dell'altra, gli occhi chiusi e le dita intrecciate.

Allora li invidiai per quella casa. Era piccola, con le pareti vuote, ma ci si poteva ballare.

Alle prime note di *Parlami d'amore Mariú* qualcuno alzò il volume.

– Quanto mi piace, questa, – disse Maddalena. Mi prese per mano. – Non cosí. Segui i miei passi –. Non ci riuscivo. Avevo le gambe come quelle di una bambola senza giunture, e non sapevo dove mettere le braccia. Lei mi cinse la vita, mi fece togliere le scarpe e salire coi piedi sui suoi, anche se era piú bassa e dovevo rimanere curva per stare in equilibrio. Ad averla tanto vicina non respiravo. Sentivo addosso il suo odore di sapone. Il cuore mi batteva fortissimo. Il suo palmo umido sul fondo della mia schiena mi faceva tremare.

«Dimmi che illusione non è, dimmi che sei tutta per me», cantò lei, ridendo.

Di essermi presentata a casa sua senza chiedere il permesso, mi aveva già perdonata.

La porta si aprí e il movimento d'aria fece chiudere di colpo le finestre. La musica divenne un'eco lontana dietro i vetri. Donatella si pulí il rossetto con un tovagliolo e Luigia si staccò con delicatezza da Ernesto, sistemandosi i capelli con le dita. Io mi rimisi in fretta le scarpe, usando gli indici per farci scivolare dentro i talloni.

Entrò una donna con gli zoccoli ai piedi e un vestito di cotone nero. – Le cipolle sono aumentate ancora. Ottanta centesimi al chilo. E i fagioli stanno a tre lire. Roba da matti. Fra un po' solo gli sciuri potranno andare a far compere al mercato, – disse lasciando sul tavolo le borse della spesa. – E allora? La tavola non è ancora pronta? Ve ne state qui a mangiare le paste, eh?

– Adesso prepariamo, mamma, – disse l'Ernesto.

– Faccio io. Sistemate la spesa, voi. E riordinate questo disastro, ché sembra di stare a casa dei ladri.

Indicò prima lui, poi la Luigia, poi i tessuti e gli scampoli che invadevano la tavola. – *L'inamuraa hinn cum i matt*, – sbottò.

La signora Merlini non mi piaceva. Aveva l'aria esangue di un agnello il giorno di Pasqua. Mi guardò con gli occhi chiarissimi e sporgenti; pareva attraversarmi. Non si presentò né mi chiese nulla. Trascinava con lentezza

il suo corpo molle e giallo, come intagliato in una sapo-
netta di Marsiglia.

Mia madre diceva che una signora la si distingue da quello che indossa sotto la gonna. Lei portava sempre le calze
di seta e stava ben attenta a non smagliarle, la madre di
Maddalena, al contrario, aveva le gambe nude.

– Vuoi fermarti a mangiare? – chiese Luigia mentre lava-
va nell'acquaio le verdure sporche di terra. Cercai l'orologio
e lo trovai appeso vicino alla finestra. Non mi ero accorta
che mezzogiorno fosse passato da quaranta minuti. – Mi
dispiace, ma devo proprio andare a casa, adesso, – pensai
alla Carla; di sicuro mi stava aspettando rosicchiandosi le
unghie. – Grazie per le paste e il resto.

La mamma stese l'incerata e sistemò piatti e bicchieri,
mi squadrò con quello sguardo che mi attraversava. Mise
quattro coperti, come se si fosse dimenticata di qualcuno.
Fu l'Ernesto a prendere ciotola e bicchiere in piú dalla
credenza, senza dire niente, come se a quella distrazione
fosse abituato.

Studiai le foto nell'angolo del mobile: c'erano immagi-
nette dei santi, ritratti di matrimoni e comunioni in posa
dal fotografo, e la foto di un bambino di circa tre anni,
con il cappello da marinaretto. Forse era lui, il fratello caduto dalla finestra.

– Abbiamo fatto in tempo a pagare gli arretrati allo
spaccio? La scadenza era oggi, – chiese Donatella riem-
piendo d'acqua la caraffa e collocandola al centro del
tavolo.

– È andato l'Ernesto dopo la messa delle sette, – disse
la Malnata.

– Siete andati o no? – ripeté la madre, passando davanti
a Maddalena come se non la vedesse. – Non mi piace mica avere debiti, a me.

– Sono andato io, – confermò Ernesto e si accostò all'acquaio per aiutare Luigia con le verdure.
La madre mise sulla tavola quattro cucchiai e quattro tovaglioli. Fu Donatella a riempire i vuoti di quello che rimaneva, senza farlo notare.
– Perché fa cosí? – sussurrai avvicinandomi a Maddalena.
– Cosí come?
– Come se non esistessi.
– Un giorno ha detto che non ero piú sua figlia e ha cominciato a comportarsi in questo modo, – rispose lei scrollando le spalle. Parlava ad alta voce, senza timore che la madre la sentisse. – Prima urlava e piangeva. E sbatteva la testa contro le cose. Adesso va meglio.
Indicai la foto incastrata nella credenza, quella del bambino con il cappello da marinaio e sussurrai ancora: – Per lui? Per via di quando è caduto dalla finestra?
Gli occhi della Malnata divennero aspri: – Non sai niente, te.
– Scusa, – provai a rimediare, ma lei non me ne lasciò il tempo.
Mi afferrò un polso e mi trascinò per il corridoio, aprí la porta per spingermi fuori.
– Me l'ha detto mia madre, dell'incidente, io non sapevo...
– Non è stato un incidente, – disse lei, gelida, – e nemmeno quella volta che mio padre è andato in officina e ci ha lasciato una gamba e poi l'infezione l'ha ucciso. Nemmeno quello è stato un incidente, – continuò, rossa in faccia. – La colpa è stata mia. Sono io che faccio succedere le cose brutte. Ti hanno detto anche questo, vero?
– Maddalena, mi dispiace...
– Non mi devi chiamare cosí, – disse come se avesse appena masticato una bacca velenosa. – E hanno ragione a

dirti che non mi devi stare vicino. Se stai con me poi succedono le disgrazie.

Strinsi i pugni tanto da sentirmi le unghie nei palmi.
– A me degli altri non importa, – dissi in un fiato. Poi le
diedi le spalle perché non mi vedesse piangere, mi asciugai
la faccia con un braccio correndo verso le scale.

– Francesca, – disse la Malnata dopo che avevo già sceso
due rampe. Mi bloccai, aggrappata al corrimano. Lei guardava in giú, i capelli come una tenda sulla fronte: – Ci vieni, domani?

Indugiai, mi succhiai un labbro e dissi: – Pensavo che
non eravamo piú amiche.

– E perché no?

Dondolai coi talloni su un gradino: – E dove devo venire?

– Al Lambro, – rispose la Malnata. – Ti insegno a prendere i pesci.

8.

I mesi successivi trascorsero in fretta in quella che fu l'estate piú felice della mia vita.

Stavo diventando brava a dire le bugie e, anche grazie alla complicità della Carla, riuscivo a scappare al Lambro quasi ogni giorno per stare insieme alla Malnata e agli altri ragazzi.

Tenevamo i piedi a mollo nell'acqua, le gambe nude chiazzate di fango. Avevo imparato a indossare sempre lo stesso vestito, quello vecchio e slavato che cacciavo sul fondo dell'armadio quando tornavo a casa. Poi, di notte, mentre tutti dormivano, lavavo via lo sporco e lo appendevo ad asciugare fuori dalla finestra di camera mia. A casa indossavo sempre le camicette con le maniche lunghe, anche se faceva caldo, per nascondere le sbucciature, e ammorbidivo con acqua e sapone le croste sulle ginocchia per farle cadere prima.

Quelle cautele si rivelavano in realtà superflue. Papà era talmente occupato con l'appalto promesso dal signor Colombo che stava sempre in cappellificio e la casa stava perdendo l'odore acre del suo tabacco.

Avevo sempre saputo di venire dopo il suo lavoro; le sue presse e le sue informatrici, i suoi feltri e le sue fibbie: valevano molto piú di me. Ma dall'incidente con il vino, durante quel pranzo in cui voleva fare bella figura e che era finito in tragedia, cominciavo ad aver paura delle sue inquietudini, dei modi in cui mio padre aveva preso a ignorarmi. Forse, per colpa mia, di quell'affare non si sarebbe fatto niente e lui mi avrebbe odiata per sempre. Mamma invece era felice e non sapevo perché. Sembrava dedicare attenzioni soltanto al vestito rosso sotto la macchina da cucire. Spesso cantava, nel suo dialetto cosí musicale, e capitava si dimenticasse di rimproverare la Carla per gli aloni rimasti sulle posate o per gli angoli delle lenzuola piegati male. Era distratta. Si spruzzava dietro le orecchie qualche goccia di profumo alla lavanda e il pomeriggio usciva per sbrigare commissioni urgenti. Tornava ore dopo, con la borsa della spesa vuota e i capelli in disordine, e si chiudeva in camera fino all'ora di cena.

La sua noncuranza includeva anche me, ma dato che la cosa mi consentiva di avere piú libertà, non mi importava. Ne approfittavo e me ne andavo al fiume a catturare i pesci con i Malnati, a rovinarmi la pelle scottandomi al sole tanto da squamarmi tutta e a fare a gara a chi trovava le forme piú strane nelle nuvole.

E anche se al Lambro non ci potevo andare, la verità era che Maddalena non riuscivo a lasciarla. Pensavo sempre a lei.

Anche in modi di cui mi vergognavo: lei che mi salvava dall'ultimo piano di una casa in fiamme, lei che era un soldato e mi portava via da un campo di battaglia tenendomi in braccio, con le bombe che cadevano e il sangue dappertutto, lei che mi guardava fare la ruota con la gonna del vestito e mi diceva che ero bella. Ma quelle avventure immaginarie le tenevo per me.

Per un motivo che non ero ancora riuscita a spiegarmi e nemmeno osavo chiedere, per Maddalena giocare a far finta era pericoloso. I giochi che si inventava erano sempre di terra e di corse da spezzarsi il fiato, di salti e di sfide ad arrampicarsi e scappare, ed eravamo sempre noi stessi, perché immaginare di essere altri e inventare storie era proibito. Io invece avrei dato qualsiasi cosa per poter vivere nel mondo di Sandokan, dove nessuno parlava di rammendi alle calze o di soldi, ci si sacrificava per la patria o per un altro grande ideale fatto di parole altisonanti, le femmine erano sempre «in pericolo mortale» e se si moriva si moriva per gli altri, salvandoli all'ultimo minuto e facendosi baciare, alla fine, prima di spirare l'anima sulle labbra di chi si amava. E allora a volte, senza dirlo a nessuno, quando correvamo nel letto secco del Lambro o ci sfidavamo con i bastoni, fingevo di essere un'altra. Guardavo di nascosto la Malnata e imitavo il suo modo di muovere le spalle durante la corsa, il modo in cui diceva: «Io non ho paura».

Con i Malnati non ci si annoiava mai. Andavamo in giro per la città a piedi nudi e ci intrufolavamo nei palazzi suonando i campanelli che, nelle case vecchie, quelle non ancora abbattute per il programma di risanamento sanitario che a poco a poco stava sventrando il centro, funzionavano girando una chiavetta meccanica.

Se era troppo caldo ci bagnavamo nella fontana delle rane in piazza Roma, dietro il palazzo di mattoni rossi con i pilastri in pietra grigia, che un tempo era stato il Comune e che tutti chiamavano Arengario. Ci piaceva quella fontana perché aveva una vasca di marmo tanto profonda da poterci stare in piedi, con al centro la statua di bronzo di una ragazza che schiacciava in mano una rana circondata da ranocchie che gettavano zampilli sottili. Ci mettevamo ognuno sotto una di quelle rane, con la bocca aperta, la riempivamo d'acqua e giocavamo a chi sputava piú lontano. Se arrivavano i carabinieri scappavamo ridendo.

Al parco andavamo in bici, ma ne avevamo solo due:

quella della Malnata con la ruggine e il manubrio dalle corna all'ingiú, e la bici di Filippo, che era luccicante come quelle del Giro d'Italia: lui aveva pinzato alla forcella della ruota una molletta con una vecchia cartolina, cosí, pedalando, produceva lo stesso rumore di un motorino. Io sedevo di sbieco sulla bici della Malnata, la canna che mi schiacciava sotto le cosce e il suo respiro contro la nuca. Con una mano stringevo la gonna perché non si incastrasse tra i raggi e dicevo: «Piú veloce».

Con lei nemmeno il pensiero di farmi male mi spaventava. Due volte su tre eravamo noi a vincere la corsa a chi arrivava prima alla Villa Reale. Ci sdraiavamo sul prato anche se c'era scritto «Non calpestare» e mangiavamo il pane nero col lardo bevendo dalle fontanelle.

Adesso che con quei ragazzi, che avevo sempre guardato da lontano, c'ero anche io, mi sembrava che il mondo iniziasse da lí. Che la mia vita ricominciasse daccapo.

Ci piaceva quello che ci spaventava: gli angoli bui del Lambro dove si nascondevano i ratti, il fruttivendolo che bestemmiava nel retro del negozio e lo scricchiolio irregolare dei suoi passi.

Alla fine riuscii a fare a gara per le code di lucertola e a contare chi si era guadagnata piú graffi, un giorno in cui ero rimasta da sola con Maddalena. Inseguimmo le lucertole litigando coi gatti, poi ci sdraiammo per terra, le braccia distese contro la pietra che scottava di sole, di fianco al mucchietto di code mozzate che avevamo raccolto, e confrontammo i tagli rossi e gonfi, lucidi di piccole gocce di sangue. Lei strizzava la pelle e lo faceva scorrere.

– Che schifo, – dissi, ma poi la imitai, per farle vedere che non mi impressionavo.

– Noi femmine non ci dobbiamo schifare del sangue, – disse allora lei.

– E perché? – Non capivo nulla dei discorsi sui maschi e le femmine.

A me i maschi facevano paura. Persino Filippo e Matteo, che avevo un po' imparato a conoscere, e Noè, che aveva quell'odore forte che mi piaceva. Mia madre mi aveva insegnato ad averne. Diceva che erano bestie e io pensavo sempre al cane nel cortile del signor Tresoldi, vecchio e con l'abbaiare roco, che tutto il giorno si strozzava con la catena cercando di tuffarsi su chiunque passava per strappargli la gola con un morso. «I maschi ti mangiano viva, Francesca», mi avvertiva la mamma.

Nel mondo di Maddalena, invece, non c'erano mai maschio e femmina, tranne quando pronunciava quella frase: «Noi femmine non ci dobbiamo schifare del sangue». E se le chiedevo perché, lei scuoteva le spalle: «A noi, da grandi, ci viene per forza».

Per non sentirmi inferiore a lei, feci finta di capire. Ma in realtà mi inquietava quel sangue che ci sarebbe venuto da grandi e non sapevo da dove. Magari dagli occhi, come le statue delle madonne miracolate, o dalle orecchie e dalla bocca come a suo fratello, che era caduto dalla finestra e si era aperto la testa.

– Ho vinto io, – disse Maddalena. Il sangue le era sceso nell'incavo del gomito e tra le dita. Se lo leccò dai polpastrelli e dal palmo come succo di ciliegie.

– La prossima volta vinco io –. Ma sapevo che non era vero. Era lei quella che si divertiva a tirare la coda del gatto cieco, il piú cattivo, perché non appena lo sfioravi ti azzannava. Lei restava ad accarezzargli la pancia e quello le si aggrappava con tutte le zampe, e graffiava e mordeva e soffiava senza nemmeno prendere respiro. Io invece mi ritraevo se solo un gatto snudava gli artigli.

– La prossima volta, – disse Maddalena. Poi mi afferrò
un polso e si fece avanti carponi, strusciando sulla pietra
fino a che la sua faccia non fu sopra le mie braccia. Allora
cominciò a leccarmi i tagli: – Cosí il bruciore ti passa prima –. Poi ci girammo sulle schiene e guardammo il cielo
cambiare, le ombre allungarsi sull'argine.

Fu allora che Maddalena mi disse che forse al ginnasio
non l'avrebbero piú mandata. L'anno prima era stata boc-
ciata per via del voto in condotta.

Era sua madre a non volere che tornasse. A Ernesto aveva detto che era meglio che quelle come lei si trovassero al
piú presto una fatica per portare i soldi a casa e mettessero
la testa a posto. Se fosse stato per la madre, Maddalena
avrebbe frequentato le scuole di avviamento professiona-
le e del liceo avrebbe dovuto scordarsi. Ernesto, invece,
insisteva perché studiasse. «È l'unico modo per difender-
ti dal mondo», diceva. Per questo voleva che Maddalena
andasse al ginnasio e continuasse le scuole, anche se era
una cosa da ricchi.

Se fosse riuscita a tornare, sarebbe stata in classe con
me. E io ogni notte pregavo il Signore perché me lo con-
cedesse. Tutto quel tempo senza di lei non avrei potuto
sopportarlo.

– Ha detto che piuttosto i libri e il resto me li paga lui
e che ad ogni costo devo studiare.

– A scuola non si può non andare. Devi farlo per forza.

– Se mancano i soldi non ci fai niente con l'obbligo. Ma
a quello ha detto che ci pensa l'Ernesto.

– E tu?

– Io gli ho detto che il voto basso in condotta non me
lo faccio mettere piú. L'ho giurato –. Fece vorticare una
coda verde brillante tra le dita.

– Perché te l'hanno messo?

Esitò. - Ho preso a pugni la Giulia Brambilla. Le è venuto un livido enorme e ha sputato un dente. Allora è andata dal preside. In realtà prima in infermeria e dopo dal preside. Ma fa lo stesso. Piangeva e le hanno creduto senza chiedermi nulla.

- E perché?

- Perché è una codarda, ecco perché.

- Perché le hai dato un pugno, intendevo.

Mi guardò con gli occhi che le si facevano piccoli: - Diceva a tutti che l'ho spinto.

- Chi?

Si morse l'unghia del pollice, la sputò e riprese a giocherellare con la coda della lucertola. - Dario. Mio fratello. Quello che è caduto.

Restai in silenzio. Poi mi voltai su un fianco: - E com'è successo invece?

- È caduto.

- E basta?

- È caduto e basta.

- E perché dicevi che era colpa tua?

- Perché è cosí. Sono io che faccio succedere le cose brutte.

- Lo dici perché ti senti in colpa? Ti senti in colpa che lui è morto e tu no?

Di scatto mi diede le spalle. - Ma cosa ne sai, te?

- Lo avevo anch'io, un fratello.

Si girò di nuovo: - E poi è morto?

- Lui non è caduto. È stata la poliomielite a portarselo via. Non sapeva ancora parlare e faceva solo rumore. Prima di morire ne ha fatto ancora di piú, come se la volesse urlare fuori, la cosa che aveva nei polmoni. E poi piú niente. Andiamo a lasciargli i fiori al cimitero, e mamma mi fa accendere i ceri.

La Malnata si cacciò in tasca la coda della lucertola e disse: – Allora non è mica stata colpa tua.

– No, – tornai a sdraiarmi sulla schiena, chiusi gli occhi contro il sole e le dissi una cosa che non avevo mai detto a nessuno, una cosa per cui, lo sapevo, sarei andata all'inferno. – Quando è morto, tutti erano tristi. Io, invece, non ce la facevo. A me è sembrato di ricominciare a respirare solo dal momento in cui lui non c'è riuscito piú.

Maddalena non fiatava. Intorno a noi il rumore dell'acqua, il miagolio lontano dei gatti. Non avrei mai dovuto dirglielo. Ora mi avrebbe cacciata, mi avrebbe detto che ero un mostro, un cane rabbioso da abbattere coi bastoni.

– Succede, – disse Maddalena in un fiato.

– Cosa?

– Pensare a cose che non si possono dire. Cose sbagliate. Cose cattive. Non significa che sia cattiva anche tu.

Il peso rovente di quel segreto che avevo trattenuto mi opprimeva, mi veniva da vomitare. – Lui non aveva colpe. Viveva e basta, non ha avuto il tempo di commettere neanche un peccato. E io lo odiavo.

Presi un respiro, mi tirai su a sedere: – Sei la prima a cui lo dico. Se si venisse a sapere, comincerebbero a trattarmi in modo diverso.

La Malnata si era sollevata, aveva appoggiato il mento su un ginocchio e mi scrutava con i suoi occhi duri come sassi, serissima.

Fissai una bolla di sangue che si gonfiava da un taglio sull'avambraccio e le dissi: – Comincerebbero a guardarmi come guardano te.

9.

Senza che quasi ce ne accorgessimo arrivò settembre.
Domenica 8 si correva il Gran Premio sul circuito dell'Autodromo. Per la città era un giorno di festa e, come in tutti
i giorni di festa, ovunque era esposta la bandiera italiana.
Sventolava dai balconi e dalle finestre, persino dagli abbaini delle soffitte. Non dovevi essere per forza fascista
per esporla, ma se non lo facevi diventavi un *antitaliano*,
peggio che avere la scabbia. Quel giorno però la gente
non l'aveva tirato fuori per i fascisti, il tricolore, ma per
Tazio Nuvolari, che guidava l'Alfa Romeo della scuderia
Ferrari ed era l'unico a poter battere i tedeschi e conquistare la rivincita.
   Eravamo andati alla prima messa del mattino perché
mamma voleva godersi tutta la manifestazione. Ne parlava dalla sera prima, quando aveva estratto da un cassetto
della credenza la nostra bandiera che puzzava di naftalina. L'aveva distesa sul sofà perché perdesse i segni della
precedente stiratura e prendesse aria. La mattina la Carla,
prima ancora di andare a comprare il blocco di ghiaccio
dall'ambulante che passava sotto casa, l'aveva attaccata alla ringhiera. Il rumore dei motori che si scaldavano nel circuito del parco arrivava fino a casa e faceva tremare i vetri.
   In occasione dell'adunata in programma per il Gran
Premio era stata recapitata da una settimana la cartolina-precetto firmata dal fiduciario del fascio cittadino: «Le au-

torità saranno orgogliosamente presenti per assistere alle
parate celebrative organizzate per l'evento che attirerà in
gioconde brigate folle di appassionati».

Era prevista anche una sfilata di noi ragazzi: Balilla
davanti e Piccole italiane dietro, in marcia nella piazza
del duomo portando la bandiera a scacchi bianca e nera,
quella che segna la fine della gara, perché fosse benedetta dall'arciprete.

Eravamo state scelte in due per recitare ad alta voce il
Decalogo della piccola italiana, e io ne ero segretamente
orgogliosa perché sarei salita sul palco costruito apposta,
in mezzo a quelle «persone importanti» di cui mio padre
parlava sempre. E in fondo non mi interessava poi molto
se la gonna era troppo stretta e il tessuto della camicetta
in piqué bianco faceva caldo e pizzicava sotto le ascelle.

Mia madre mi disse di salire in piedi su una sedia in salotto e mi sistemò l'uniforme: mi ficcò la camicetta ben
dentro le mutande e lisciò le pieghe della gonna nera. Mi
diede i guanti bianchi raccomandandosi che non li perdessi.

– Tu non vieni? – chiese a mio padre, che, sulla sua
poltrona, fumava la pipa con la mano a coppa intorno al
fornello.

– Preferisco di no. Le macchine non le sopporto. Fanno troppo rumore.

– La gente potrebbe parlare.

– E lascia che parlino, – sbottò lui rivolgendo lo sguardo ai vasi di aspidistra sul balcone.

– Come vuoi, – concluse mia madre dandogli le spalle.

– Andiamo, – aggiunse –. Mi prese una mano facendomi
saltare giú dalla sedia con uno schiocco sonoro delle suole.

Mio padre non era mai stato un vero fascista, di quelli che si segnavano la fronte con una croce dinanzi a ogni
ritratto del duce o cantavano «Eia, Eia, Alalà» nei cori

del sabato. Si era iscritto al partito solo per convenienza, perché se avevi la tessera gli affari andavano meglio, lo sapevano tutti. Si sarebbe iscritto persino al gruppo di ginnastica artistica per signore o a quello di cucito se gli avessero permesso di vendere bene i suoi cappelli. Capitava che, quando leggeva il giornale o ascoltava la radio, gli scappasse un grugnito o un commento cattivo, ma ormai si era abituato a considerare libertà gli stretti confini che contenevano solo le cose che si potevano fare senza suscitare attenzioni sgradite, a chiamare amici anche quelli che, in segreto, disprezzava. Alle feste ufficiali e alle parate, però, se poteva non ci andava. Era mamma ad agghindarsi, esaltata dal clima solenne che si respirava in giro per la città. Mi spiegava come dovevo tenere le dita e il gomito al momento del saluto e mi diceva: «Siamo parte di una cosa piú grande di noi. E dobbiamo fare la nostra bella figura».

Quel giorno si era cosparsa il viso di cipria cantando *Casta Diva*. La sera prima aveva appeso all'armadio il vestito scarlatto cui aveva lavorato l'estate intera, accarezzandone piano il tessuto prima di andare a dormire, e adesso lo indossava con orgoglio mentre ci immergevamo nella folla che si dirigeva svelta in centro.

Sembrava che tutti fossero usciti in strada. Mamma aveva lo scollo a barchetta ricamato col filo d'oro, i polpacci coperti dalle calze di seta e gli occhi degli uomini addosso.

Le vie del centro erano state invase dai manifesti con la faccia di Nuvolari e la sua Alfa Romeo: pareva un principe guerriero in groppa al suo cavallo nelle illustrazioni dei libri di fiabe, ma con tutte le linee disegnate di traverso per dare l'idea della velocità.

In piazza si respirava un'afosa aria di attesa. Gli uomini portavano le giacche sul braccio e si facevano aria con la tesa dei Panama. Le donne si erano riunite in capannelli

all'ombra dei tetti. – Ho visto che c'è la signora Mauri, – disse mia madre, – devo parlarle di un cappello da far accomodare. Tu raggiungi pure le tue amiche, da brava.
– Ma mi guardi quando salgo sul palco, vero?
– Certo che ti guardo. Ora va' –. Mi lasciò la mano. Fissai il suo vestito rosso sparire in mezzo alla calca prima di decidermi a raggiungere gli altri ragazzi in divisa, già schierati sul sagrato della chiesa; un gruppo di rondini ben ammaestrate.
Cercai Maddalena allungando il collo e alzandomi sulle punte. A lei di solito quelle adunate non piacevano perché doveva svegliarsi presto e infagottarsi per forza nella divisa, che le stava stretta, ma aveva detto che quel giorno ci sarebbe stata perché l'Ernesto era appassionato di macchine e a ogni Gran Premio seguiva la corsa proprio attaccato alla chicane piú pericolosa del circuito. Voleva sentire il vento che le macchine spostavano passandogli vicinissimo, tanto forte da strappargli il cappello, e farsi assordare dal rumore dei motori, dalle urla del pubblico, respirare l'odore intenso della benzina e l'eccitazione della gara. Confuse fra quelle divise nere e bianche eravamo tutte uguali e lei non riuscivo a scorgerla.
Le campane del duomo suonarono le nove e le ragazze piú grandi, a capo dei nostri reparti, con la listerella sul braccio sinistro, ci fecero sfilare in riga davanti alla facciata. Bisognava battere i tacchi contro l'acciottolato e gridare tre volte: «Eia, Eia, Alalà!»
Giungemmo in fondo alla piazza dove era stato innalzato il palco con i gagliardetti tricolori e colonne di legno a forma di fascio littorio. La folla si aprí come il mar Rosso nella Bibbia e noi cantavamo a squarciagola *Giovinezza* e marciavamo in fila per due. La ragazza piú grande era in testa e portava la bandiera a scacchi.

Sul palco c'erano gli ispettori del Pnf venuti apposta da Milano e i membri del gruppo cittadino. Fra loro, anche l'arciprete, con i paramenti delle celebrazioni solenni. Intorno a lui, sei alabardieri con l'uniforme blu e sul capo una feluca nera con una piuma che a me sembrava buffa e che papà definiva «pomposa». Ci sarebbe dovuto essere anche il signor Colombo, ma il suo posto era vuoto.

Attesi con angoscia il momento in cui sarebbe toccato salire sul palco a me e a un'altra ragazza con le trecce legate dietro la nuca di cui non ricordavo il nome. Quando un ispettore del Pnf disse: – Si sferrerà l'attacco decisivo dell'automobilismo italiano contro le posizioni conquistate dalla produzione da corsa germanica. E l'autodromo di Monza sarà il campo di questa attesissima contesa, – la gente applaudí.

Arrivò il nostro turno, ma la folla si era già assottigliata perché alle undici iniziavano le prove di gara e dalla piazza all'Autodromo c'era almeno mezz'ora a piedi.

Salii sul palco con la bocca impastata. A un cenno della caposquadra mi sistemai sotto al microfono e recitai quello che avevo imparato a memoria: «Prega e adoperati per la pace, ma prepara il tuo cuore alla guerra, – dissi, le mani intrecciate dietro la schiena, intenta a cercare mia madre tra la folla. – La Patria si serve anche spazzando la propria casa –. Finii con voce sicura e forte: – La donna è la prima responsabile del destino di un popolo».

Gli applausi furono svogliati, giusto la cortesia che si deve alle recite scolastiche. E dopo che la bandiera a scacchi fu benedetta, la ressa si disperse.

Mia madre e il suo vestito rosso non si vedevano da nessuna parte. Ma a me non interessava piú. Io cercavo Maddalena.

La trovai, finalmente, sotto i portici dell'Arengario. Era assieme a Ernesto e Luigia, aveva la divisa sgualcita e la camicetta fuori dalla gonna con una macchia di gelato sul colletto. Aveva sgranocchiato il cono a partire dalla punta, cosí ora leccava il gelato che colava.

Luigia stava bevendo una cedrata, le mani premute sul vetro come per sentire il fresco. Indossava una gonna lunga fino ai polpacci e una camicia da uomo infilata nella cintura, i capelli erano tenuti fermi da una fascia che mostrava le orecchie piccole e tonde. Accanto a lei, Ernesto le sussurrava qualcosa che la faceva ridere forte.

Maddalena mi vide e mi salutò con la mano.

– Alla sfilata non c'eri, – le dissi quando le fui vicina, – e nemmeno alla cerimonia.

Lei scrollò le spalle: – Non avevo voglia. Ero con l'Ernesto, che mi ha preso il gelato. Ma ti ho vista, sai?

– Davvero?

– Sei stata brava. Hai mandato tutto a memoria.

– Grazie, – le dissi e avvampai pensando a come mi doveva aver visto bella lassú, in mezzo a quelle persone importanti, sul palco in piazza Duomo a parlare al microfono come gli uomini sui balconi di Roma.

– Ma tu davvero ci credi? – chiese, seria.

– A che cosa?

– A quello che hai detto sul palco. Alle cose sulla patria e sulle femmine.

Mi succhiai un labbro, esitai: – Non lo so. Non ci avevo pensato.

– È una cosa pericolosa.

– Che cosa?

– Le parole, – rispose. – Le parole sono pericolose se le dici senza pensarci.

– Sono solo parole, – cercai di ridere perché la sua faccia cominciava a farmi paura e non volevo litigare.

Ma lei mi fissava: – Non lo sono mai.

– Vuoi venire con noi? – chiese l'Ernesto.
– Abbiamo anche la colazione –. Luigia alzò il cestino
di paglia che teneva appeso al braccio.
– Non l'ho mai vista da vicino, la corsa, – dissi. – Secondo mio padre le macchine fanno troppo rumore.
– Davvero? Ma è proprio quello il bello! – ribatté l'Ernesto. – Allora bisogna rimediare.
Ormai avevo imparato a mentire. Con mia madre avrei
inventato una scusa. Se non aveva avuto neanche il tempo di guardarmi sul palco, significava che, in fondo, non
le importava di me.
Nel tragitto verso il parco Ernesto parlò delle varianti
fatte al tracciato del circuito e delle velocità che potevano raggiungere le auto in gara sul rettifilo delle tribune e
nelle curve. Ci raccontò anche dell'incidente del 1933, in
cui erano morti ben due piloti, Campari e Borzacchini,
dopo essere usciti di strada. Uno era morto subito, con il
torace sfondato, l'altro qualche ora dopo, in ospedale. Era
per quello che la gente accorreva a guardare le macchine?
Per la possibilità della morte spettacolare, come i gladiatori per i romani?
Ernesto aveva gli occhi luminosi e tirava Luigia per la mano pregandola di fare in fretta perché non voleva rischiare
di perdersi niente, nemmeno le prime prove. Sembrava un
bambino davanti al bancone delle liquirizie. Lei rideva e io
pensai che bastasse quello per essere felici: tenersi per mano, sentirsi parte della gioia di qualcuno a cui si vuole bene.
Nel prato vicino alla pista dell'autodromo erano parcheggiate file di veicoli coperti da grossi teli bianchi perché non fossero rovinati dal sole cocente, le persone erano assiepate contro la rete che delimitava il parcheggio o
sulle tribune. C'era odore di erba schiacciata, di giacche
sudate e di cibo portato da casa.

Ci facemmo spazio in mezzo al prato secco zigzagando tra le coperte stese a terra dalle famiglie e tra i gruppi di tifosi accalcati vicino ai covoni che delimitavano il percorso. Quando passammo di fronte alle macchine da presa del cinegiornale ci mettemmo a saltare per essere inquadrate. Magari la prossima volta che fossi andata al cinematografo avrei potuto indicare lo schermo e dire: «Eccomi, ci sono anch'io».

Luigia si faceva ombra dal sole con una rivista aperta sopra la testa, Ernesto le suggeriva dove camminare per non affondare coi tacchi nella terra e ci precedeva dicendo «permesso», per prenderci i posti migliori e assistere alla partenza della corsa.

Le monoposto sfilarono sulla pista, scortate dai meccanici in tuta bianca. Erano lunghe come siluri, luccicanti, e sembravano giocattoli di latta. Nuvolari con la sua Alfa rossa era il numero venti. Speravano tutti in lui per vincere sui tedeschi.

La gara vera e propria fu preceduta dalle sessioni di prove che dovevano determinare la posizione delle vetture. Faceva caldo e io e Maddalena smaniavamo per cominciare a mangiare, ma Ernesto diceva che bisognava aspettare l'inizio della corsa vera, come da tradizione. L'eccitazione venne ben presto sostituita dalla noia: restammo sdraiate sul prato a contare le bolle arancioni che ci si formavano dietro le palpebre chiuse, mentre Luigia ci dava di nascosto i panini con il lardo avvolti nella carta unta di grasso. Fu Ernesto a svegliarci dicendo: – È ora –. I rumori dei motori si facevano piú forti e la gente indicava la pista: la gara stava per iniziare.

Dopo il rito dell'alzabandiera sopra la torre che riproduceva il fascio, omaggiato con il saluto romano, le autorità passarono in rassegna le macchine che avevano preso posto alla partenza e i carabinieri col bicorno controllavano il pubblico. L'aria era elettrica. Il frastuono dei motori faceva male alla testa, vibrava fin dentro al naso. Io e Maddalena ci tappammo le orecchie, ridendo. Le monoposto partirono e la gente si mise a urlare anche se nel tempo di un respiro già quelle non si vedevano piú. I piloti andavano velocissimi, quasi non gli importasse di morire. Non capivo cosa ci fosse di divertente: il rumore dei motori aumentava e si smorzava di continuo, le macchine sembravano mosche e, da dove eravamo, della gara non si capiva niente.

– Come filano, – diceva l'Ernesto, poi prometteva a Luigia che con la promozione sarebbe riuscito a risparmiare abbastanza per comprare una Fiat Spider decapottabile e sarebbero andati al mare, magari a Genova o a Sanremo.

– C'è posto anche per noi? – disse una voce familiare. Donatella indossava un abito stretto in vita che le evidenziava il seno, aveva le labbra del colore caldo del corallo, perle alle orecchie e un braccio allacciato a quello del figlio maggiore dei Colombo.

Lui fece un lieve inchino. Era in divisa: pantaloni alla zuava, camicia nera e ghette bianche, al collo il fazzoletto con fascio e lettera *m* incrociati e la scritta «Vincere». Aveva il viso levigato e chiaro, le guance lisce, umide, forse per via dell'acqua di colonia, e sui capelli un doppio strato di brillantina. – Scusate il disturbo, – disse. – Ha tanto insistito per venirvi a salutare.

– Non c'è problema, – replicò la Luigia, – a far spazio si fa sempre in tempo –. E si avvicinò all'Ernesto per dare modo a Donatella e al ragazzo di sedersi. Lui si presentò scandendo bene il proprio nome: Tiziano Colombo, e disse a tutti «molto piacere».

Poi fermò lo sguardo su di me, a lungo, come se mi stesse studiando, tanto che mi sentii in imbarazzo e mi portai
le mani incrociate al petto dove il tessuto della camicetta
tirava troppo.

– La figlia del signor Strada, – disse alla fine con un
sorriso. – Mio padre mi ha parlato di te, sai? – Si lucidò
con il pollice il distintivo d'oro e riprese: – Diceva che eri
ancora una bambina, ma a me sembra che ti sei fatta proprio una bella signorina.

Non riuscii a rispondergli. Mi sentivo la bocca piena
di cotone.

Parlarono del caldo e delle macchine, delle zanzare che
la notte non facevano dormire, dei tedeschi che come piloti facevano schifo, poi Luigia tirò fuori il resto dei panini,
quelli col salame e il formaggio, e le cedrate.

Non ci volle molto perché i maschi passassero a discu-
tere di guerra.

– Ma va', vedrai che non succede, – disse l'Ernesto,
– ormai è quasi un anno che hanno fatto l'accordo, no?
La faccenda dei pozzi di Ual Ual è già stata dimenticata.

Pronunciò quel nome che pareva un verso, l'avevo sentito di sfuggita da mio padre mesi prima e l'avevo dimenticato. C'era di mezzo uno scontro tra italiani ed etiopi
per il possesso di un territorio ricco di pozzi d'acqua. Di
piú non sapevo.

– Un'offesa che non si può lasciare invendicata ancora
per molto. Dove lo mettiamo, l'orgoglio degli italiani? –
ribatté Tiziano.

– In Italia, magari, – replicò l'Ernesto ridendo. – Abbiamo già abbastanza grane qui senza andare a pescarcele
nella sabbia africana.

– Se si facesse la guerra ci andresti, Merlini? – disse Tiziano con aria di sfida.

– Non ci sarà nessuna guerra, – intervenne Luigia, tesa, prendendo la mano di Ernesto.

Avendo vent'anni avrebbero potuto chiamarlo alla leva, ma stava cercando di rimandare la partenza con il pretesto delle nozze.

– Io, se potessi, ci andrei senza nemmeno pensarci, – continuò Tiziano, gli occhi che brillavano. Ci arrivò una zaffata della sua acqua di colonia.

– Tanto non potresti nemmeno volendo, – disse Donatella tirandolo per un braccio. – E adesso piantiamola di parlare di queste cose che ci rovinano la domenica. Altrimenti poi mi vengono i pensieri.

Tiziano sorrise: – Perdonate, signorine. Non volevamo crearvi agitazione. Questi panini sono deliziosi, vi ringrazio, – aggiunse con un cenno del capo a Luigia.

– Perché non puoi? – intervenne di colpo la Malnata. Mi voltai a guardarla e cosí gli altri. Lei aveva l'espressione severa di quando le cose diventavano serie: – Se hai tanta voglia di andare a combattere, perché non ci vai?

– Avanti, Maddalena, basta con questa storia. Nessuno l'ha ancora dichiarata, la guerra –. Donatella si allungò per prendere una cedrata.

– Il coraggio è forte, ma il cuore non lo ascolta, – disse Tiziano con aria rassegnata.

– E cosa vorrebbe dire? – insistette Maddalena.

– Affaticamento cardiaco, – disse Tiziano sputando in fretta quelle parole, come se ne provasse vergogna. – Il mio cuore è nato sbagliato. I dottori sentono un forte soffio tra i battiti, – continuò, e la sua espressione divenne triste, quasi disperata, – anche se volessi arruolarmi come volontario mi allontanerebbero. Non idoneo. Questa è la verità.

– *Desmet, va'*, che tu sei fortunato. Hai la scusa per stare a casa, al sicuro, – disse Donatella dando un morso a un panino. – Perché a voi uomini piace tanto giocare alla guerra?

– Per la patria, – rispose lui in un fiato.

– *La patria la dà né pan, né vin, né luganeghin*, – lo motteggiò Donatella. Si faceva piú grezza quando usava il dialetto, nonostante le labbra dipinte da signora. Voleva dire che gli uomini che parlano di patria si riempiono la bocca, ma solo di aria; la patria non dà di che mangiare.

– L'Abissinia ha tante ricchezze da sostentare il Paese intero per un secolo, – ribatté Tiziano, quasi offeso da quella saggezza popolare che macchiava i suoi discorsi altisonanti.

Donatella roteò gli occhi, annoiata; Luigia fissava ansiosa l'Ernesto.

– Perché a te la guerra sembra una cosa tanto bella? – chiese Maddalena.

– Basta, adesso, eh! – sbottò Luigia, tentando di mostrarsi allegra, ma la voce le si era incrinata. – Oggi è festa e a questa maledetta guerra non ci dobbiamo pensare.

Rimasero tutti in silenzio e ci raggiunse solo il caldo del mezzogiorno, il frinire basso degli insetti.

La Malnata cercò il mio sguardo, ma quando lo trovò lo distolse subito.

– Andiamo. Non perdiamoci l'arrivo, – disse l'Ernesto alzandosi in piedi.

Luigia lo seguí tremando come se il conflitto fosse appena scoppiato. Anche Donatella si alzò, incerta sui tacchi. Si passò un dito sulle labbra: – Il rossetto si è rovinato.

– Te l'ho detto che non ti serve il trucco per essere bella, – la consolò Tiziano. – Tanto non fa mica differenza –. E con una mano sulla schiena la spinse verso la pista.

Le macchine arrivarono con un frastuono del diavolo e a me sembravano piombate oltre la linea tutte insieme.

La gente urlava e agitava il cappello: «Chi è passato per primo? Avete visto il numero? Sulla bandiera c'erano il giallo e il nero o il verde e il rosso?» A vincere fu Hans Stuck, il tedesco. Nuvolari arrivò secondo, ma conquistando il primato di velocità sul giro. – Non mi sono mai piaciuti questi tedeschi, – commentò Ernesto.

Dagli altoparlanti si diffuse l'inno della Germania, in quella lingua cosí dura e piena di consonanti che pareva dire cose cattive.

Tazio Nuvolari era piccolo e magro, stava in piedi su un gradino piú basso del podio e salutava, la bandiera italiana sulle spalle e la faccia sporca di polvere nera, tranne che sugli occhi: le lenti da pilota gli avevano disegnato una maschera. Hans Stuck era alto, biondo e con la faccia da topo.

Luigia poggiò la testa sulla spalla di Ernesto: – Che succede se dichiarano guerra per davvero? Cosa facciamo noi?

– Dio non lo permetterà –. Ernesto le baciò i capelli.

Finita la corsa, andai al Lambro assieme a Maddalena. Lungo la strada verso il centro parlammo di guerra e di amore. Lei non credeva a nessuna delle due cose. Luigia le piaceva, ma non piaceva a sua madre perché non aveva la dote ed era figlia di un comunista. Invece Tiziano non le piaceva perché sorrideva in modo crudele e stava attento a non sporcare la divisa che indossava anche quando non era obbligatoria, con un orgoglio che a lei faceva schifo. «È una mascherata, – diceva, – e chi ha bisogno di indossare sempre una maschera è perché ha qualcosa da nascondere». A sua madre Tiziano piaceva perché era il figlio del Colombo, un uomo facoltoso che una volta, raccontava, aveva stretto la mano a Mussolini. E soprattutto le piaceva perché era ricco e quasi ogni sabato portava la Dona-

tella in gita ai laghi con la Balilla del padre, prendevano
il vaporetto e mangiavano al ristorante. Cose che lei non
si era mai sognata di fare e per la figlia desiderava un matrimonio da signora, le vacanze alle terme per «passare le
acque», come aveva sentito dire dai ricchi, i nipoti grassi
con il viso pulito. Secondo Maddalena, il Tiziano era solo
un *bauscia*, un fanfarone, che si dava tante arie, ma non
sapeva combinare nulla.

    – A me piace, – le dissi. – È elegante, posato. Usa pa-
role difficili, e parla bene. E poi ha dei bei modi.

    – E di che parla? – sbottò lei. – Della guerra, che gli
pare un gioco divertente, come se lui fosse il bambino che
muove per finta i soldatini.

    – E ti fa paura?

    – Chi, quello?

    – Non è che magari ti piace? A me pare bello.

    – Niente mi fa paura, – soffiò. – E poi a me non piace
nessuno. Figuriamoci uno cosí –. Aumentò il passo.

    Quando arrivammo al ponte dei Leoni mi accorsi che
stavamo correndo e il fiato mi mancava. I leoni sulle colonne
ci fissavano con astio, le zampe incrociate come i maestri
che stanno per farti la ramanzina.

    L'acqua del Lambro era tanto alta da nascondere le
rocce del fondo. Giú ci aspettavano Filippo e Matteo, in
piedi sulla riva. Uno con la divisa da Balilla, le calze ancora ai piedi. L'altro con la solita canottiera macchiata e
i piedi già nudi.

    – Ce ne avete messo di tempo! – disse Matteo mentre
io e la Malnata ci calavamo dall'argine crollato. Nel punto
in cui passavamo sempre, le foglie dell'edera erano strap-
pate, i rami spezzati.

    Maddalena mi diede il braccio per aiutarmi a scendere,
io mi tenevo una mano sulla gonna perché non si sollevasse.

– Pensavamo che non veniste piú, – fece Filippo, – e qui fa un caldo che si muore.

Le scarpe della Malnata schioccarono sui ciottoli, avanzò verso la riva. – Sapete che facciamo adesso? Ci facciamo il bagno.

– Il bagno? Ma cosí?

– Mica cosí, – rispose la Malnata ridendo, – ci spogliamo.

– In che senso? – chiesi io.

– Restiamo in mutande e canottiera. È come essere al mare.

– E che ne sai? Non ci sei mai stata al mare, te, – disse Matteo.

– E nemmeno tu, scusa, – replicò Maddalena. – Ma che c'importa? Ce lo facciamo qui, il mare. Il mare tutto nostro, che è pure meglio. Dài, andiamo –. E si tolse la camicetta. La lasciò cadere sulla riva, poi si tolse le scarpe pinzandosi il tallone con la punta dell'altro piede e calciandole via. – Ma si può sapere che state aspettando? – disse sfilandosi la gonna.

Rimase con le mutande e la canottiera bianca, larga sulle spalle magre: la colonna vertebrale le risaltava sotto la pelle chiara della schiena, diritta e in rilievo. Era davvero bella.

Prese la rincorsa e si tuffò nell'acqua del Lambro, riemerse respirando forte con la bocca aperta. – È fredda, – gridò: – Su, dài, *tremacúa*, buttatevi.

Matteo fu il primo. Neppure si levò i pantaloni e la canottiera. Appena fu in acqua lanciò un urlo fortissimo, un verso animale. Lui e Maddalena finsero di volersi affogare l'un l'altro, ridendo e inghiottendo acqua e tornando fuori tossendo.

Filippo si tolse la divisa quasi con rabbia. Si tuffò e riemerse respirando a scatti, stringendosi il petto con le braccia e tremando. – È freddissima, – imprecò tra i denti, Matteo lo raggiunse e gli schizzò addosso l'acqua coi piedi.

Allora mi sfilai gonna e camicia. Fu come liberarsi di un abito vecchio e sporco che è troppo stretto, da buttare. Presi la rincorsa. Sotto i piedi la pelle era diventata cuoio dopo quell'estate passata senza scarpe, i sassi non li sentivo piú. Mi tuffai, gli occhi chiusi. L'acqua era gelida, mi fece a brandelli il respiro.

– L'è troppo fredda quest'acqua qui, – disse Filippo annaspando verso la riva.

– Ma smettila, tu. Femmina! – urlò il Matteo e gli bloccò una gamba. Filippo cercò di scrollarselo di dosso e presero a lottare gridando e tirandosi per i capelli.

La Malnata si frappose tra loro, li respinse entrambi nel Lambro e la lotta divenne una battaglia scomposta, metà a mollo metà all'asciutto, una gara a chi riusciva a gettare l'altro nell'acqua. – E te che fai? Stai a guardare?

Allora mi feci il segno della croce e mi lanciai in mezzo a loro.

Scontrarsi e fare a pugni, strusciare le ginocchia sul fondo limaccioso e sentire il fango nero che si infilava tra le dita e si incollava ai capelli mi resero un essere di carne. Ero fatta di pelle e sangue, lividi e ossa. E spigoli e urla. Ero viva.

Con i Malnati potevo dire per la prima volta «Sono qui» avvertendo tutto il peso di quell'affermazione.

Strinsi Maddalena per un braccio e le feci forza con un piede dietro al ginocchio, proprio come l'avevo vista fare quando sfidava i maschi sulla riva del fiume. Urlò e cadde con la schiena nell'acqua, quando riemerse aveva i capelli neri appiccicati alla fronte come alghe. Si sollevò ridendo e mi disse: – Adesso vedi –. Mi prese per la vita e mi fece perdere l'equilibrio. Non ebbi il tempo di trattenere il respiro e un attimo dopo tutto divenne acqua. Inghiottii il gelo fangoso, scalciai, e credetti di morire. Fu Maddalena a tirarmi fuori prendendomi per un polso. Tossii forte schiacciandomi una mano sul petto, poi scoppiai a ridere. Il panico sul suo viso si sciolse, mi abbracciò. Era bello sentirla pelle contro pelle.

Le ombre del ponte e degli edifici di fianco all'argine si erano allungate a coprire quasi completamente il letto del fiume. Ancora nell'abbraccio della Malnata, mi ritrovai a tremarle addosso.

– Andiamo al sole, va'. Ché poi non ci si asciuga piú, – disse lei. Le sue dita che si intrecciavano alle mie mi fecero salire un improvviso calore che ristagnò nella nuca.

Ci sdraiammo nell'unico ritaglio di luce rimasto sulla riva, i ciottoli che ci bucherellavano le schiene e gli occhi chiusi, a rifiatare mentre l'acqua si dissolveva in gocce che colavano sulle tempie e negli angoli dei nostri corpi immobili.

– Voglio restare per sempre cosí, – dissi, con la pelle che mi si scaldava piano.

– Bagnata e tremante? – rise, affilata.

– Insieme a te.

Dallo scricchiolare dei sassi capii che si stava muovendo e quando la sua ombra coprí il sole aprii gli occhi e la vidi, stesa su un fianco, il mento appoggiato sul palmo. – Ci vengo anch'io a scuola con te il mese prossimo.

– Davvero?

– Ernesto ha detto che posso, – annuí. – Vuole che vada al ginnasio, cosí dopo posso andare al liceo e ci pensa lui a tutto. Ma devo stare attenta a non farmi piú bocciare.

– Ti basta studiare.

– Quello non è un problema. Mi posso impegnare. È per il resto che mi devi insegnare tu.

– E che cosa ti posso insegnare? Io non so niente.

– A essere brava, – disse lei, – a comportarmi bene –. Tornò a stendersi sulla schiena, allargò le braccia e le gambe come si fa d'inverno sulla neve per disegnare gli angeli. Fu allora che nella pancia mi pulsò un dolore improvviso, micidiale, come di qualcuno che mi calpestasse. Il dolore scomparve per ritornare ancora piú forte al respiro successivo. Mi sollevai. Qualcosa di scuro mi si era appiccicato alla coscia e colava giú in una riga nera, sottile. Pensai a un'alga, un'erba molle del fondale e allungai una mano per tirarla via.

Ma nel toccarla mi accorsi che le mie dita erano rosse e lucide di sangue. Mi alzai di scatto, barcollando per cercare di tenermi in equilibrio mentre mi arrivava alle narici l'odore umido e sgradevole di quando io e Maddalena eravamo sdraiate alla discesa dei gatti a confrontarci i graffi.

Me ne stavo ferma: grosse gocce mi scivolavano sui polpacci e cadevano sui ciottoli rimanendo lí, scure come le monete di rame che Carla ammonticchiava sul tavolo della cucina prima di uscire a comprare il pane.

– Sto morendo, – urlai.

– Che succede? – gridò Matteo, ancora a mollo nell'acqua.

– Ma è sangue, quello lí? – chiese Filippo.

– State zitti, – intervenne la Malnata.

Premetti le mani in mezzo alle gambe, schiacciai forte per cercare di fermare il sangue. Stavo per rivoltarmi come una bambola fatta di stracci. Le viscere mi sarebbero uscite fuori e sarei morta cosí, svuotata e appiccicosa sulla riva del Lambro. – Sto morendo.

Poi ci fu la voce della Malnata che mi sussurrava all'orecchio: – Non devi avere paura.

Mi aggrappai alla sua canottiera zuppa, le gambe divennero molli, dovetti reggermi a lei per non scivolare. Il dolore arrivava a ondate e fui attraversata di nuovo da una scarica rovente. Boccheggiai. Respirare era diventato uno sforzo cosciente, faticoso.

Maddalena mi passò le dita tra i capelli induriti dal fango. – Devi respirare –. Le sue parole erano acqua che scorreva: – Adesso ti passa.

Mi scivolò per la spina dorsale una calma gelida, come un dito che stesse facendo la conta delle mie vertebre. I brividi scomparvero assieme al dolore.

– Va tutto bene, – disse Maddalena. – È una cosa normale. Te l'ho detto che il sangue non deve farci paura.

– Ma come lo sai, te?

– Alla Donatella viene ogni mese. Le fanno male la pancia e la schiena e dopo qualche giorno passa.

– Ogni mese? – balbettai. – Ma non si può. Si muore per forza.

– Ti ho detto di no, – ribatté lei, seria. Mi prese per le spalle e mi costrinse a guardarla. – Ce l'hanno tutte le femmine. È una cosa che arriva quando si cresce.

– E tu ce l'hai? – dissi tirando su col naso.

– Non ancora.

– E perché viene solo alle femmine?

Alzò le spalle: – Non lo so. Mi sa che siamo fatte cosí e basta.

Allungò le braccia staccandomi da sé e mi squadrò per intero, come faceva mamma prima di uscire di casa. Mi portò verso la riva del Lambro, poi dentro l'acqua.

Respirare era ritornato facile. Lasciai che Maddalena mi aiutasse a lavarmi il sangue di dosso. Mi fece togliere le mutande che si erano sporcate, poi mi sfregò forte l'interno delle cosce.

– Mi dispiace, – le dissi.

– Va tutto bene.

– Per la canottiera, dicevo –. Indicai. Le avevo lasciato un'impronta rossa sul fianco.

– E che importa? – disse lei.

Le ciglia mi si inumidirono.

– Non piangere adesso.

– Non piango, – mi asciugai la faccia con i palmi. – Piangere è da idioti.

Sorrise: – Hai imparato.

Matteo e Filippo, accucciati sul fondo del fiume, l'acqua che arrivava alle spalle, ci guardavano. – Che hai fatto? – disse Matteo, tirandosi indietro i capelli che gli sgocciolavano sulla fronte.

– Niente.

Filippo si piegò in avanti, affondò la testa nell'acqua fino alle narici per fare le bolle soffiando dal naso. Riemerse e disse: – E allora com'è che c'è sangue?

– Quando ci feriamo noi non facciamo tante storie, – aggiunse Matteo. – Fammi un po' vedere.

– Son cose nostre, – disse in un fiato la Malnata. – Che volete saperne voi? E finitela di guardare!

Uscimmo dall'acqua. Raggiungemmo la riva e ci rimettemmo i vestiti sulla pelle bagnata. Maddalena si allacciò la camicetta saltando un bottone, la gonna nera tutta storta, appiccicata alle cosce. Infilò una mano sotto e si levò le mutande alzando una gamba, poi l'altra. – Tieni, – disse, – ché le tue si sono sporcate.

– E tu?

Alzò le spalle. – Fa niente.

Presi le mutande che mi porgeva, ancora bagnate. Me le infilai in fretta; erano gelide, si appiccicavano alla pelle. Mi rimisi dritta, arrotolando le mie dentro il pugno: – Sai quello che dicono gli altri di te.

Lasciò la camicetta abbottonata male e alzò la testa. – E allora? – chiese.

– Non è vero, – le dissi, – non è vero che porti sfortuna, né quella storia sul demonio. E non è vero che mi succedono cose brutte se sto con te.

Continuò a guardarmi senza parlare, seria.

– Io con te mi sento al sicuro.

Parte seconda

Il sangue di domani e le colpe di oggi

10

La Balilla nera era parcheggiata di fronte a casa mia, dall'altra parte della strada, nei pressi del negozio del barbiere e davanti ai manifesti del Cinzano. Il signor Colombo era al posto di guida, il viso nascosto dall'ombra del cappello. Sul sedile del passeggero, con il suo vestito rosso, c'era mia madre.

Non potei evitare di rimanere ferma a guardarli. Erano vicini, sembrava parlassero fitto e mamma rideva di una risata a bocca aperta, sguaiata, come a casa non avrebbe mai fatto. Il parabrezza mi impediva di sentire i suoni, avevo l'impressione di assistere a uno spettacolo di burattini.

Mia madre dovette vedermi perché si ricompose, fece un cenno al signor Colombo e aprí la portiera.

Nello scendere si sistemò i capelli e si lisciò la gonna. Mi raggiunse con i tacchi che picchiettavano sulla strada. – È una scortesia fissare a quel modo, Francesca –. Fece una pausa, si passò la lingua sulle labbra. – Il signor Colombo è stato cosí gentile da riaccompagnarmi a casa. Da brava, saluta come si deve.

Il Colombo mi salutò chinando il capo e toccandosi il cappello.

Mia madre lo salutò con la mano, allegra come una bambina, poi tornò a voltarsi. Solo allora sembrò vedermi davvero. Mi scrutò con il viso contratto e disse: – Come hai conciato la tua divisa?

Senza rispondere corsi oltre il cancello. Salii per le scale: dalla strada lei gridava il mio nome. Tenevo strette in una mano le mutande sporche, nell'altra i guanti stropicciati. Entrai in casa e la Carla, che mi riconosceva dal rumore dei passi, mi salutò dalla cucina. Mio padre si sporse dal giornale e disse: – Ti ho preso il «Corrierino» –. Poi mi vide: – Ma che ti è successo? Sei caduta nel Lambro? A farmi vedere da lui in quello stato mi bruciò in faccia il calore dell'imbarazzo. Mi precipitai in bagno e lavai in fretta le mutande impregnate di sangue, per paura di essere sgridata.

– Si può sapere che ha tua figlia? – chiese mia madre, nervosa.

– Ma non eravate insieme? – disse mio padre. – Dove l'hai lasciata?

Presi a sfregare con piú forza il sapone, gli angoli netti mi premevano contro i palmi e l'acqua si colorava di rosa mentre l'odore di sangue misto a quello dolciastro della lavanda mi arrivava alle narici.

– Deve essere andata di nuovo con quei disgraziati, – diceva mia madre. – La signora Mauri l'ha vista insieme alla Malnata.

– Ma chi? La figlia dei Merlini?

– Non mi piace quella ragazzina. Lo dicevo io, che la rovinava.

Trattenni le lacrime e urlai: – Non sapete niente, voi!

Dall'altra parte, un silenzio improvviso. Fu mia madre la prima a riprendere parola pretendendo che mio padre mi punisse a dovere per la mia impertinenza. Ma lui si rifiutò e, siccome lei insisteva, le gridò di smetterla.

Mi bloccai, atterrita, aggrappandomi ai bordi del lavandino. Mio padre non gridava mai.

La porta del bagno si spalancò facendo entrare il lampo rosso del vestito di mia madre. Restammo a fissarci a lungo: io in piedi dinanzi al lavabo sporco di sangue, le gambe nude e le braccia piene di schiuma, lei sulla soglia con gli occhi tondi. Disse piano: – Capisco.

Non mi diede spiegazioni. Disse solo, con tono impersonale: – Sei una donna, adesso.

E per un attimo sembrò che non mi riconoscesse, quasi fossi qualcosa di minaccioso: una creatura che aveva cercato di ammaestrare e che le era sfuggita.

Poi aprí l'armadietto del bagno e appoggiò sul bordo della vasca lunghi pezzi di stoffa e un flacone con scritto «Sanadon». – Quelli, per il sangue, – disse, – questo, per i dolori. Quando hai finito bada di non lasciare sporco in giro. E le prossime volte devi dire solo: «Sono indisposta». Sennò non sta bene.

Uscí richiudendosi la porta alle spalle. Dal salotto sentii che tagliava corto: – Nulla. Sono cose da donne.

Rimasi come inebetita, mi riscossi solo nell'istante in cui la Carla bussò alla porta: – Posso?

Entrando mi fece un sorriso buono e prese un lungo respiro. Raccolse le cose che mamma aveva lasciato sul bordo della vasca e disse, inginocchiandosi: – Ti spiego come si fa.

I dolori sparirono nel giro di una settimana, assieme al sangue.

Ma ogni giorno il mio corpo diventava sempre piú estraneo, qualcosa che faticavo a capire. Mi accorgevo per la prima volta degli sguardi altrui, soprattutto maschili.

Andavo al Lambro con i Malnati indossando vecchi vestiti oppure uscivo ben pettinata e profumata a fare commissioni assieme a mia madre e sempre avvertivo il peso delle occhiate e dei commenti bisbigliati dagli sconosciuti.

Notando che ero a disagio, mia madre commentava: «Significa che sei bella», ma io non mi vedevo bella. L'attenzione dei maschi mi faceva sentire in colpa.

Tornata a casa, mi chiudevo in bagno e davanti allo specchio, nuda, mi vergognavo dell'acne che mi deturpava le guance e la fronte e il mento, del gonfiore di quella carne dilatata che spuntava sotto i capezzoli. Mi sentivo addosso il rimorso di crescere.

Verso la fine di settembre nei crocicchi davanti alle edicole e fuori dalla chiesa la gente parlava di «Abissinia italiana», «sabbie della vittoria» e diceva «abbasso il Negus». Un giorno mio padre tornò a casa con una bottiglia di spumante, una di quelle costose, e ci comunicò che dovevamo festeggiare.

Mise il vinile delle arie d'opera famose, chiese alla Carla di preparare la tavola e di cucinare il risotto con lo zafferano, che era il suo preferito.

Era da tempo che non lo vedevo tanto felice. Cantava con la sua voce forte e stonata: «E a te, mia dolce Aida, tornar di lauri cinto. Dirti: per te ho pugnato, per te ho vinto!» E quando Carla provò ad aiutarlo ad aprire la bottiglia di spumante si offese e insistette che ci pensava lui.

Mancava la salsiccia, ma il risotto era saporito; il pane, appena comprato dal prestinaio, crocchiava sotto le dita e aveva un profumo caldo.

– Cosa stiamo festeggiando? – domandò mia madre, che a bere non era abituata e si era già arrossata in faccia.

– La concessione dei cappelli per le truppe, – disse papà, – è ufficialmente nostra.

Mia madre alzò il bicchiere per farsi versare altro spumante dalla Carla. – Il signor Colombo ha mantenuto la parola, – disse con un gesto orgoglioso.

– Merito della qualità del nostro feltro –. Mio padre bevve lo spumante e schioccò le labbra, poi aggiunse: – E se questa benedetta guerra dovesse davvero scoppiare; vedrete che le richieste aumenteranno ancora.

La guerra non la volevo, ma ero felice di vedere mio padre così. Per fortuna la brutta figura che avevo fatto con il signor Colombo non aveva rovinato il suo affare. E lui avrebbe continuato ad amarmi.

Feci la scarpetta tirando su con il pane quello che rimaneva nel piatto. In quel periodo avevo una fame nervosa e insaziabile. – Lo hai pulito che è una meraviglia, – disse mio padre mentre la mollica si impregnava.

Mia madre ci lanciò un'occhiata di fuoco: – Non è una cosa da signorina, questa.

– Lasciala un po' stare, ché deve crescere, – rise mio padre. – Si sta facendo bella stagna, la nostra Francesca. Dalle qualche anno e avremo la fila alla porta, te lo dico io. Dovremo spingere via i pretendenti con il bastone.

Io mi strinsi le braccia intorno allo stomaco che premeva contro la cintura della gonna e ripresi a masticare.

Carla sparecchiò in silenzio. Si fermò prima di entrare in cucina, e si fece il segno della croce. Era spaventata. Diceva che in guerra erano solo le persone oneste a morire, quelli che stavano in alto, invece, e mandavano gli altri a combattere, se ne fregavano.

– Me lo sento nelle ossa, – disse mio padre pulendosi la bocca col tovagliolo, – da adesso in poi andrà tutto per il meglio.

11.

La guerra fu dichiarata la sera del 2 ottobre. Faceva un freddo di biscia e la *scighera*, la nebbia d'autunno, era densa come burro. Piazza Trento straripava, ma la presenza della folla si intuiva solo dai rumori, dal brusio dell'attesa. Dagli altoparlanti veniva un sibilo roco e sul balcone del Comune le autorità infagottate nelle loro divise aspettavano con le mani sui fianchi e la schiena dritta. Sprazzi di tricolore e di stendardi emergevano dalla foschia per essere sommersi ancora assieme alla tromba di bronzo del monumento ai caduti.

Maddalena guardava per terra, diceva: – Credono davvero sia una cosa di cui essere felici?

All'improvviso gli altoparlanti gracchiarono e la voce di Mussolini sembrò venir fuori dal nulla. Era stentorea, orgogliosa, ma il duce prendeva troppe pause per respirare e mi fece pensare ai pesci che aprivano e chiudevano la bocca sgranando gli occhi viscidi quando Maddalena li acciuffava strizzandoli tra le dita.

Il duce parlava con foga degli uomini e delle donne che si erano radunati nelle piazze:

«La loro manifestazione deve dimostrare e dimostra al mondo che Italia e Fascismo costituiscono una identità perfetta, assoluta, inalterabile. Possono credere il contrario soltanto i cervelli avvolti nella piú crassa ignoranza su uomini e cose d'Italia, di questa Italia 1935, anno XIII

dell'Era Fascista. Da molti mesi la ruota del destino, sotto l'impulso della nostra calma determinazione, si muove verso la meta: in queste ore il suo ritmo è piú veloce e inarrestabile ormai!»
Esplosero le grida, i canti e gli evviva, urlati da un unico, mostruoso essere senza forma né corpo che era intorno a noi. Per tutta la sera vennero diffusi discorsi e canzoni. Ovunque per la città la gente era in preda a un'agitazione insolita, come se solo ora, in quel grido di guerra, trovasse la propria ragione di vivere e fossero bastate le parole di quell'uomo, che tutti avevano visto nei ritratti sui muri degli uffici comunali o nei cinegiornali e che parlava dal balcone di una città conosciuta nelle cartoline e nei libri illustrati, per ricordare loro di essere parte di un popolo, di un Paese con un unico capo e un unico Dio.
Cantavano *Faccetta nera* e agitavano le bandiere con tanta forza da dissipare per qualche istante la foschia. Quell'energia antica, animale, mi dava una scarica fortissima. Anche se non comprendevo come potesse la notizia di un conflitto infondere gioia nella gente, al pari di una spensierata villeggiatura, non potevo evitare di essere trascinata da quell'impeto senza freni. Era bello sentirsi parte di qualcosa, sebbene fosse caotico, irruente e pericoloso.

Tre giorni dopo la dichiarazione di guerra all'Etiopia, l'Ernesto ricevette la cartolina-precetto.
Con la cravatta e la camicia pulita si presentò alla sede del Gruppo rionale per chiedere che rimandassero la sua partenza alla primavera, una volta celebrate le nozze, ma nessuno aveva tempo per ascoltarlo. Ogni italiano doveva dare il proprio contributo per la causa e che importava se aveva figli, mogli, fidanzate o genitori malati. Avrebbero aspettato il suo ritorno e l'avrebbero fatto in

nome della patria. Sacrifici si pretendevano da chiunque in cambio di un bene piú grande, che io non riuscivo a capire quale fosse.

Donatella si offrí di convincere Tiziano a intercedere presso il padre: – Con la sua posizione, sicuro una scusa te la trova. Ernesto serrava i denti: – E per far che? Per andarmene poi in giro a dire di smaniare per la guerra ma di non poterci andare per un male inguaribile al cuore? Preferisco l'Abissinia, a questo punto. Almeno da lí si torna con l'animo sereno e l'orgoglio a posto. E da liberi. Ché con i fascisti non voglio avere a che fare, io.

Donatella piangeva, gli diceva che non si rendeva conto. Anche Luigia lo implorava: – Che ci faccio io col tuo orgoglio da lontano. Meglio fascista a casa che libero in Africa. O magari pure morto.

Ernesto sgranava gli occhi, batteva i palmi sul tavolo e diceva che lui ai principî in cui credeva non avrebbe rinunciato per nulla al mondo. Nella sua vita aveva giurato fede solo a due cose: al Signore e alla Luigia, cui avrebbe voluto promettersi ancora e per sempre con la benedizione di un prete e chicchi di riso incastrati nel colletto. Aveva risparmiato abbastanza perché la sua famiglia potesse sostentarsi senza troppi pensieri mentre lui era via, diceva. Poi, quando vedeva Luigia tremare e sospirare forte, le prendeva il viso tra le mani, la baciava sulla fronte e diceva: – Vedrai che torno subito.

La Luigia si toglieva gli occhiali appannati, schiacciava la faccia sul suo petto e si sforzava di sorridere. – E adesso senza te che fai il manichino come lo finiamo il vestito?

All'ora di cena del 6 ottobre eravamo in silenzio davanti alla radio, la zuppa che si freddava nei piatti. Una voce severa ma tranquilla annunciò che Adua era stata conquistata.

Dopo solo tre giorni di combattimenti, la prima vittoria. Carla era in cucina a pregare il Signore che il conflitto finisse presto. Suo fratello piú piccolo, che ripeteva sempre: «Molti nemici, molto onore», si era imbarcato volontario. «Incomincia il cammino dell'espansione nel mondo, – diceva la radio. – L'Italia inizia da Adua riconquistata e riconsacrata la sua missione di grande Nazione coloniale». In fondo, il gioco della guerra era un gioco facile. L'Ernesto sarebbe rientrato in fretta e il matrimonio sarebbe stato ancora piú festoso. In primavera, magari, la sposa con i fiori nei capelli e Maddalena per una volta pettinata e con le scarpe lucide. Io avrei comprato un vestito nuovo, da grande, con la vita stretta e la gonna che mi scopriva le caviglie. Maddalena avrebbe riso e io avrei ballato le canzoni della festa con le punte dei piedi in equilibrio sulle sue.

12

Ernesto doveva partire la mattina di lunedí 14, il giorno in cui sarebbe iniziata la scuola. Avrebbe raggiunto un battaglione per il corso d'istruzione e da lí si sarebbe imbarcato per l'Africa. Luigia aveva pregato che lo assegnassero a un reggimento in Italia, magari a Verona o a Firenze. Non era stata ascoltata neppure lei. Forse lassú in paradiso erano come alla sede del Gruppo rionale e di badare a una sartina non avevano tempo.

Maddalena voleva bigiare il primo giorno per accompagnare Ernesto alla camionetta militare, dirgli addio fino a quando non fosse scomparso in fondo alla strada e la gola le si fosse asciugata a forza di urlare. Ma lui le aveva fatto giurare che a scuola ci sarebbe andata sempre e si sarebbe comportata bene. – Voglio tutti dieci in pagella –. Le aveva dato un bacio sulla guancia, proprio su quella macchia dove si diceva fosse stato il diavolo a toccarla. – Non smettere di avere fede.

La domenica prima della partenza i Merlini avevano organizzato un pranzo, con il salame cotto e il castagnaccio, e anche io ero stata invitata: – Ormai sei di casa, – diceva l'Ernesto.

Luigia si mordeva di continuo un labbro e aveva gli occhi gonfi, Donatella sedeva da sola di fronte alla finestra fumando una sigaretta, l'aveva tolta dalla tabacchiera d'argento che le aveva regalato Tiziano Colombo. Per giorni aveva accusato Ernesto di non averle permesso di aiutarlo e adesso che in guerra ci doveva andare per forza non riusciva a non fargliene una colpa. – Il suo maledetto orgoglio, – diceva, – chissà poi che se ne fa.

Fu un pranzo triste, con Ernesto che si sforzava di rendere allegra l'atmosfera. La finestra era aperta, nonostante il freddo, per sentire la musica che giungeva dall'appartamento al piano di sopra. Quando passarono *Faccetta nera* Ernesto la chiuse e si rollò una sigaretta in silenzio, inumidendo la cartina con le labbra. Il fumo della sigaretta riempí la cucina e lui si incupí.

La madre di Maddalena, a capotavola, grattava la forchetta nel piatto vuoto di castagnaccio, e disse: – Se lo sapesse Mussolini, non ci sarebbero queste ingiustizie. Bisognerebbe fargliele sapere, le sventure di noi povera gente. Magari possiamo scrivere una lettera.

Luigia cercò con lo sguardo quello di Ernesto, che rideva di un riso amaro: – Come se gliene importasse qualcosa.

– La Provvidenza ha voluto salvarlo da quegli attentati. Significa che ha la protezione dei santi, – insistette la madre.

– Significa che è come una mosca, quello lí –. L'Ernesto picchiò il palmo sul tavolo facendo volare del tabacco sbriciolato. – Ad ammazzarlo fai fatica. Ti ci devi impegnare. Devi provare e provare ancora, finché non ci riesci.

Luigia fece scaldare l'acqua per il caffè d'orzo; nel frattempo Maddalena mi portò nella camera dove dormivano lei e i fratelli. Sopra il letto di Ernesto c'erano un crocifisso e un santino di san Francesco inchiodati al muro assieme a ritagli di giornale con le foto di Nuvolari e di Learco Guerra, che l'anno prima aveva vinto il Giro d'Italia. Sul comodino di Donatella c'era una car-

tolina che ritraeva De Sica in una scena di *Gli uomini,
che mascalzoni...*, un portacipria e un romanzo giallo: *La
morte nel villaggio*.

Dalla parte di Maddalena non c'era niente, solo le
pietre luccicanti che raccoglieva nel fiume. Nella stanza
c'era spazio appena per i letti, nulla che permettesse un
po' di solitudine.

Maddalena mi fece sedere sul suo letto, il materasso era
pieno di bozzi in cui si affondava. Mi disse che la notte
esaminava le crepe sul soffitto e non riusciva a dormire.
Allora scostava la coperta, provava a pregare. Ma non ci
riusciva. Disse: – Mi devi insegnare come si fa. A me non
mi viene.

– Non è una cosa che si insegna.

– Sí, invece, – insistette. – Com'è che bisogna stare?
Cosí? E poi? Poi che si deve fare? Bisogna parlare come
ai signori, alla Madonna? Dire «per piacere» e «grazie»?

– E perché adesso ti vuoi mettere a pregare?

– Voglio solo che me lo faccia tornare indietro, – disse
lei con gli occhi scuri, – e non chiederò nessun'altra gra-
zia in tutta la vita.

Non l'avevo mai vista tanto abbattuta. La sua ostina-
zione e la sua rabbia non contavano piú. Eppure aveva gli
occhi asciutti e il solito sguardo feroce.

Mi inginocchiai accanto a lei, i gomiti sul letto e la
fronte sulle mani giunte. Insieme recitammo l'*Ave Maria* e il *Pater Noster*, Maddalena mi seguiva lenta perché
le parole non le ricordava bene. Con lei accanto, tutta
quella storia della fede riacquistava un senso e una di-
mensione umana, lontana dall'odore dell'incenso e della
chiesa. Assieme a Maddalena ricominciavo in segreto a
credere anch'io.

Quando fu ora di tornare a casa l'Ernesto mi salutò dicendo: – Sono felice che Maddalena ti abbia trovato, – e picchiettò il fondo della sigaretta contro il palmo, irrigidendo le spalle. Aveva nei gesti la stessa ruvidezza della sorella, ma anche la stessa vulnerabilità, che cercava di tenere nascosta, e una faccia che avrebbe potuto affrontare anche il diavolo.

– La gente la chiama con un nome brutale, – continuò lui infilandosi in bocca la sigaretta. – Lei l'ha indossato come un'armatura e adesso ne va fiera. È una ragazza forte. Non le interessa quello che dicono gli altri. E di questi tempi è l'unica cosa che conta.

– Non ha paura di niente, – dissi, cercando di tenere il mento in alto come faceva lei.

– Non sempre è un bene –. Ernesto accostò l'accendino alla sigaretta, inspirò fumo: – Promettimi che le starai vicino.

Mi sentii importante, investita di un compito sacro: l'eroina di quei romanzi che parlavano di duelli con le spade e di amore, dove i protagonisti morivano l'uno per l'altro e usavano parole difficili.

– Lo prometto.

Il giorno dopo dissi a mia madre che non volevo piú essere accompagnata a scuola dalla Carla, adesso che ero grande. Misi il cappotto, presi la cartelletta coi quaderni nuovi e uscii da sola. L'aria rarefatta del mattino mi scombinava i capelli, mi schiaffeggiava il viso.

Maddalena mi aspettava alla fontana di fronte al palazzo Frette in fondo a largo Mazzini.

– Ti annoierai, – le dissi mentre camminavano allineate sul marciapiede. – Dovrai risentirti le stesse cose dell'anno scorso.

Maddalena aveva preso un ramo e lo faceva battere contro le cancellate delle case, disse: – Stavolta è diverso. L'anno scorso tu non c'eri. E poi ho promesso di essere buona. Aveva la faccia pulita, i capelli dietro le orecchie e le calze bianche. – In fondo un anno passa in fretta –. Allungò una mano e prese la mia passandomi il pollice sulle nocche screpolate dal freddo. – Dài, andiamo più veloce, ché sennò facciamo tardi.

Ero spaventata e felice di iniziare quella scuola che aveva un nome così altisonante: «Ginnasio inferiore». Mi faceva sentire grande. Durante la quinta avevo studiato a lungo per l'esame di ammissione e la sola possibilità di non superarlo mi aveva provocato terribili incubi.

Nella scuola, con le sue regole, i suoi orari e le sue valutazioni, mi pareva di avere uno scopo e un orizzonte da raggiungere. C'era una strada che capivo, una missione. Come nei romanzi.

Arrivammo col fiatone, ma sempre tenendoci per mano. Si entrava separati: di qua i maschi, di là le femmine. Classi divise, come gli ingressi, neanche fosse stato Dio a erigere tra maschi e femmine una barriera che sarebbe caduta solo con il matrimonio.

Se non mi sentii sperduta fu grazie alla mano di Maddalena, che mi guidava oltre il cancello d'ingresso con gli striscioni tricolori, attraverso il cortile e su per lo scalone con il ritratto di Rosa Maltoni, la mamma di Mussolini, che era stata maestra: aveva un'espressione remissiva e obbediente; sotto di lei c'erano mazzi di rose e ghirlande come davanti a un altare.

La nostra classe era al secondo piano, le ampie finestre facevano entrare tanta luce, sul muro in fondo erano appesi i ritratti del re, della regina e del duce; assieme al crocifisso. La lavagna odorava di sapone, i cancellini nuovi erano impilati sulla mensola di legno.

Maddalena mi portò all'ultimo banco: laggiú potevi distrarti e sbirciare fuori dalla finestra.

– C'ho lavorato tutto l'anno scorso, – disse orgogliosa mostrandomi un buco largo un dito che attraversava da parte a parte la ribaltina.

– Va bene qua?

– No. Quest'anno andiamo in prima fila.

Le altre ragazze ci guardarono incuriosite attraversare allacciate la classe e poi tornare ai primi banchi, ai quali non voleva stare nessuno. Avevano le trecce ben strette o i nastri nei capelli, le ginocchia lisce come la mollica di pane se la modelli a lungo con le dita, e stavano composte, la schiena dritta e le caviglie incrociate.

Anche se era piú grande di un anno, la Malnata era piú bassa di tutte di almeno un pollice, teneva il fiocco del grembiule slacciato e non faceva niente per nascondere le ferite.

Entrò la professoressa di italiano e latino, ci alzammo in piedi per fare il saluto. Dopo l'appello, si presentò con poche, sbrigative parole. Disse che nella sua classe non c'era spazio per i lavativi e che non le piaceva chi si lamentava. Con il suo permesso prendemmo posto in un brusio di parole confuse. I banchi erano attaccati a due a due e ricoperti da graffiti incisi da generazioni di temperini.

Avevo il respiro affannato. Temevo di non essere all'altezza.

Sotto il banco Maddalena mi posò una mano sulla coscia. L'odore buono, familiare della sua pelle mi tranquillizzò. «Sono qui», diceva. E quello bastava.

Anche se Maddalena cercava di impegnarsi, si vedeva che la scuola non era il suo posto.

Le dava fastidio il nastro del grembiule, dover chiedere il permesso per andare ai servizi e dire: «Mi scusi, signora professoressa». Odiava specialmente il rituale del saluto mattutino, quando, dritte accanto al banco, si alzava il braccio destro con le dita tese verso il ritratto di Mussolini, battendo i tacchi tra loro e raccomandando al Signore «il Duce, i Sovrani e la cara Patria Nostra». Le altre ragazze la guardavano di sottecchi, indicavano le sue scarpe, le ginocchia, i capelli tagliati male e la macchia lucida sulla tempia. All'intervallo si accostavano ai caloriferi con il loro pane bianco spalmato di burro e ridevano del suo pane nero, e quando lei diceva «Che avete da guardare, voi?» quelle se ne andavano con la coda tra le gambe.

A me invece cominciava a piacere la scuola, anche se già le prime lezioni di latino mi avevano messo in difficoltà. Il suono di una lingua cosí antica era bello, però. E le storie di eroi e di dèi, di inganni e di battaglie, di amori grandiosi mi emozionavano. Se Monza avesse dovuto bruciare come Troia, io avrei preso Maddalena sulle spalle e saremmo scappate insieme senza voltarci mai indietro. E poi avremmo fondato una terra solo nostra e saremmo state regine.

Ero sempre stata definita una ragazza «tranquilla e beneducata».

Non mi bastava piú. Volevo che mi chiamassero per nome dicendo: «È la piú brava».

Mi piaceva quando mi regalavano le coccarde con la bandiera e commentavano che avevo fatto un ottimo lavoro. Ma le cose piú importanti continuavo a impararle da Maddalena: come far saltare di piatto i sassi nel fiume, perché i ragazzi andassero dietro alle femmine e come facessero i bambini a gonfiare a quel modo le pance delle madri prima di nascere. Le cose che mi spiegava la Malnata erano semplici e misteriose insieme, come la rotazione dei pianeti o la formazione delle montagne, ma ricoperte della vergogna e della reticenza dei grandi, che le rendevano proibite, clandestine, e per questo interessanti. Mi resi conto che ero piú felice se a dirmi «brava» era lei. Mi piaceva come mi ammirava se a scuola la aiutavo a risolvere un problema difficile o le ripetevo la differenza tra il complemento di specificazione e quello di termine. «Le capisci subito, tu, queste cose», diceva tornando a concentrarsi sul suo quaderno con le orecchie e le macchie. Si sforzava per il fratello, al quale scriveva una lettera ogni settimana. E per farlo si affidava a me. Finalmente, dall'inizio della nostra amicizia, mi accorgevo di darle qualcosa anche io. Non mi ero mai sentita indispensabile, prima di allora.

13.

Maddalena sapeva indossare la sua disobbedienza anche di nascosto. Ne andava fiera. Io avevo paura di rispondere alla professoressa, di incontrare lo sguardo dei grandi che mi parlavano e accettavo qualsiasi rimprovero senza mai provare a dire «non l'ho fatto apposta».

Lei invece, anche nelle situazioni in cui doveva chiedere scusa per forza, dire «per piacere» o «mi perdoni», lo faceva con aria di sfida. Da fuori sembrava irreprensibile e umile. Ma dentro coltivava una rivolta segreta.

Non si ribellava nemmeno quando la capoclasse – che, se l'insegnante si assentava, segnava alla lavagna i nomi dei buoni e dei cattivi in due colonne separate – la metteva in cima alla lista dei cattivi solo perché lei era «la Malnata» e «se non ha ancora fatto qualcosa di malvagio di sicuro lo sta per fare».

Io avrei voluto alzarmi, dire che non era giusto, ma lei mi faceva segno di no altrimenti era peggio. Conosceva la cattiveria delle femmine a scuola, sleale e sussurrata, piena di inganni e falsità dette alle spalle, ma che prima o poi si esauriva come il fuoco che brucia l'erba secca.

Cosí Maddalena sopportava. Sopportava le palline di carta con cui la colpivano ridendo per la sua pronuncia stentata in latino, sopportava quando in cortile le lanciavano i sassi e lei si riparava con la cartella di cuoio. Le peggiori erano cinque ragazze di seconda, che erano state in classe con Maddalena. La loro capetta era Giulia Brambilla, la figlia del farmacista, cui, l'anno prima, Maddalena aveva dato un pugno, facendole sputare un dente.

Giulia arrivava la mattina con l'autista su una macchina nera, accompagnata dalla governante, aveva boccoli chiari e tondi come quelli delle donne nelle riviste, e un sorriso da scolara obbediente in cui spiccava il vuoto nero dell'incisivo saltato.

Otteneva buoni voti e con gli insegnanti usava modi cortesi e toni quieti, ma con Maddalena era sferzante e spudorata, ben attenta a non farsi scoprire dagli adulti: le tirava manciate di terra, le cacciava nella tasca del grembiule pezzi masticati della sua merenda, le tirava i capelli fino a strapparli e la chiamava «maledetta strega». Lei non reagiva. Io mi arrabbiavo. Dovevamo dirlo agli insegnanti, rispondere alle provocazioni, fargliela pagare. Era dalla Malnata che avevo imparato il gusto della ribellione e non capivo perché adesso subisse in silenzio.

– Ho promesso, – replicava.

Con me invece Giulia e le sue amiche erano gentili: mi dicevano che avevo dei bei capelli e mi chiedevano se qualcuno mi faceva la corte. Quella era la cosa che odiavo di piú.

Un giorno, correvamo in cortile, la Giulia Brambilla fece uno sgambetto a Maddalena e lei cadde senza nemmeno il tempo di mettere davanti le mani. Si sbucciò le ginocchia e il mento. – Ti fa male? – le chiesi mentre scrollava dal grembiule la polvere della ghiaia.

Lei rise di quella risata che era come sandali sui sassi: – Neanche un po'.

Ma in infermeria dovette andarci lo stesso, perché il sangue sotto il mento non si fermava, continuava a scorrerle tra le dita premute contro la ferita macchiando il grembiule.

Non disse una parola alla Giulia Brambilla, la ignorò del tutto, come se fosse inciampata e si fosse fatta male da sola.

Non appena lei sparí dall'altra parte del cortile, io mi girai verso Giulia e le sue amiche, che stavano ancora ridendo.
– Perché la odiate tanto? – chiesi cercando di imitare la fierezza di Maddalena.
– Quella lí? – domandò Giulia. – Mica la odiamo, noi.
– E allora perché le fate gli sgambetti, le tirate i sassi e le altre cose cattive?
– Ci difendiamo.
– Vi difendete?
– Lo facciamo prima che ce lo faccia lei.
– Maddalena non vi vuole far niente.
– Non lo sai che quel nome non lo devi pronunciare? Porta sfortuna.
Inghiottii saliva. – Maddalena è mia amica.
– La Malnata non ha amiche. Non ce le può avere, lei.
Avevo i palmi sudati, il cuore mi batteva fortissimo nelle orecchie. La Giulia Brambilla insisteva: – E lo sai perché non ce le ha? – I boccoli chiari le schiaffeggiavano le guance.
– Perché? – Mi accorsi che balbettavo.
– Perché quelli che le stanno vicino finiscono per farsi male.
Le amiche alle sue spalle risero, tranne una, che se ne stava zitta in un angolo.
– Non è vero, – reagii.
– Te l'ha detto, di suo fratello?
– Certo che me l'ha detto. È caduto.
– Sicura?
– Certo!
– E di suo padre, te l'ha detto? E di Anna Tagliaferri?
Dovette cogliere lo smarrimento sul mio viso perché continuò: – A suo padre è rimasta incastrata una gamba sotto la pressatrice.

– Lo sapevo, – dissi, cercando di far ricordare al mio collo, alle mie spalle e alle mie gambe la postura di quando io e i Malnati ci sfidavamo sulla riva del fiume.
– E sapevi anche che la stessa mattina la Malnata ci aveva litigato e gli aveva detto che poteva anche non tornare? La mia gola si seccò.
– E lo sai dell'Anna Tagliaferri?
– No, – fui costretta ad ammettere.
– Non te l'ha detto che le ha fatto sbattere la testa sul banco fino a farle schizzare il sangue?
– È stato un incidente, – risposi, quando capii che si riferiva alla compagna di banco di Maddalena.
– Dieci volte, l'ha sbattuta. Non si fermava piú, sembrava un martello su un chiodo. Itala ha visto tutto. Alle elementari stavano nella stessa classe. Diglielo, Itala.
La ragazzina che era in disparte si avvicinò. Aveva i denti storti e le trecce. Annuí appena, tremando.
Giulia incrociò le braccia e mi scrutò a lungo: – Vuoi davvero cadere dalla finestra o perdere una gamba?
– No che non lo voglio, – dissi d'un fiato.
– E allora stalle lontano. La Malnata c'ha il diavolo dentro. E se il diavolo bacia anche te, poi non scappi piú. Nemmeno se muori, perché alla fine vai all'inferno.
Restai in silenzio soffocata dall'angoscia e dal senso di colpa per la mia bocca che non riusciva a trovare argomenti per ribattere. «Fate schifo, – avrei voluto dire, – è tutto falso, siete delle bugiarde». Invece me ne stavo zitta. Perché? Perché non riuscivo a dire quello che pensavo e continuavo a inghiottirlo finché non si bloccava in fondo allo stomaco a bruciare?
– Sono sicura che pure suo fratello maggiore ci rimane. Dalla guerra mica ci torna piú. Ci soffoca, nella sabbia dell'Africa. Vedrai se non è vero –. Rise e le sue amiche

fecero lo stesso. Tranne Itala, che si era nascosta di nuovo dietro Giulia Brambilla, ma un'altra le diede di gomito e lei si sforzò di sputare una risata soffocata.

Solo allora mi accorsi che la Giulia Brambilla aveva smesso già da un po' di osservarmi e fissava un punto dietro le mie spalle. Mi voltai e vidi Maddalena, con un cerotto sul mento. Il modo in cui ci guardava mi fece paura.

Due giorni dopo trovarono Giulia Brambilla in fondo alle scale. Era caduta e si era aperta la fronte. Riprese conoscenza solo dopo che arrivarono i medici e la portarono via. Aveva il viso sporco di sangue e gridava forte. I boccoli le si erano inzuppati e incollati alla testa. Una scarpa le era scivolata dal piede e ora restava in bilico su un gradino. Ci eravamo sporte dalla balaustra del secondo piano e qualcuno indicava la macchia scura sulle scale di marmo, sfregiata dalle impronte delle suole di chi l'aveva soccorsa. Dal suo ritratto Rosa Maltoni continuava a fissare il punto in cui lei era precipitata. I mazzi di fiori erano marciti e mandavano un odore cattivo.

La professoressa d'italiano ci impose di tornare in classe. Ma nessuno la ascoltò. Eravamo assembrate nel corridoio: ragazze di prima con le trecce e ragazze di quinta con le pettinature uguali a quelle delle riviste, che di solito non si mischiavano tra loro.

– L'hanno spinta, – disse una ragazza di seconda coi nastri nei capelli.

– L'hanno spinta per forza, – aggiunse la nostra capoclasse.

– E chi è stato?

– La Malnata.

– Qualcuno ha visto qualcosa? – chiese una ragazza di terza.
– Non può essere mica caduta da sola.
– È la Malnata di sicuro.
– È cattiva.
– L'ha spinta lei.

Le voci si accavallavano, sempre piú forti, per farsi sentire oltre il trillo della campanella, che il bidello continuava a scuotere per richiamare all'ordine.

La cercai in mezzo alle altre, ma niente.

La professoressa urlava: «In classe, in classe», mentre tutte continuavano a spintonare verso la tromba delle scale per conquistare un posto in prima fila. Poi, di colpo, il silenzio.

Maddalena avanzò come Gesú risorto fra gli apostoli, e tutte si scansarono per farle spazio, ammutolite.

Fu quando arrivò alla balaustra e guardò in basso, senza dire una parola, che una voce sconosciuta urlò dalla folla:
– Eccola. È stata lei. Lei è stata.
– Attenta che butta di sotto anche te, – avvertí un'altra.
– Bisogna dirlo ai professori, – un'altra ancora.
– Ti lascia le maledizioni addosso poi. Stalle lontana!
– Perché non parla?
– Non fatevi toccare.
– È triste perché la voleva ammazzare. E invece non c'è riuscita.
– Adesso deve trovare qualcun altro da dare al diavolo.

Maddalena si voltò: – Non è vero –. Squadrò le ragazze una per una, con l'espressione di quando era pronta a battersi.

Il vuoto intorno a lei si allargò, alcune si staccarono dal gruppo e andarono verso il fondo del corridoio, da dove il professore di matematica e la professoressa di latino cominciavano a condurre in classe le alunne della prima C grazie all'aiuto del bidello.

Maddalena mi sembrò d'improvviso fragile. Ma nei suoi occhi c'era una fierezza luminosa.

Avrei voluto allungare un braccio, andare verso di lei, riempire lo spazio che ci divideva, dirle: «Io non ci credo», però non ci riuscivo.

Era come se non fossi dentro il mio corpo, ma seduta un po' piú indietro a osservare me stessa guardare la Malnata. Furono i suoi occhi a ricacciarmi in me, a farmi tornare a sentire il pavimento sotto le scarpe. Mi stava cercando.

Le voci delle ragazze erano diventate una cantilena ossessiva: «L'ha spinta giú come ha fatto con il fratello, la voleva ammazzare. È lei che fa succedere queste cose».

– L'hai spinta tu? – dissi d'un fiato. M'era salita in gola quella domanda che non era la mia, un sibilo timoroso che non mi apparteneva, come se dietro la mia schiena ci fosse qualcun altro a guidarmi, come un burattino, qualcuno che era spaventato e pavido e meschino; qualcuno che non avrei mai voluto essere.

La faccia le si fece molle e d'improvviso la sua sicurezza si dissolse. – Me lo stai chiedendo davvero?

– Avevi promesso, – dissi tremando appena.

La Malnata fece una smorfia contratta, come quando si succhia un limone. – Alle fine sei anche tu uguale agli altri –. Scattò via trovando un varco in mezzo alle ragazze che urlavano.

Rimasi a guardarla con un senso di debolezza.

La colpa aveva il sapore di un pugno in pancia. – Maddalena! – gridai. Ma lei già non si vedeva piú.

Andai a cercarla mentre le altre tornavano in classe, con ordine e in fila per due.

Le avevo letto negli occhi una delusione che mi aveva bruciato.

Mi precipitai nello stanzone squallido dove passavamo l'intervallo nei giorni di freddo. Dai gabinetti ai due lati arrivava un odore fetido. Da destra, il rumore di un pianto soffocato.

– Maddalena? – sussurrai, incerta.

Seguii quel suono indistinto fino a trovarmi di fronte al gabinetto in fondo.

– Maddalena, mi dispiace, – dissi spingendo la porta. Nel buio, una forma rannicchiata nell'angolo sussultò, la linea spessa di luce le colpí il viso.

– Vattene!

La riconobbi dai denti storti e dalle trecce di un castano slavato: – Itala?

– Lasciami in pace!

– Che fai qui cosí?

– Volevo solo spaventarla, – singhiozzò con la nuca appoggiata alle piastrelle. Aveva la faccia rossa di pianto e il naso le colava. Le parole venivano fuori smangiucchiate: – Non l'ho fatto apposta. Lo giuro, – frignò come una bambina piccola, – non ce la facevo piú. Giulia è cattiva. Ma non volevo farla morire. Davvero. Non volevo –. Aveva gli occhi lucidi: – Non lo dire a nessuno, – pregò, – per carità, non dirlo a nessuno.

– Non piangere. Piangere è da idioti, – dissi prima di chiudere la porta.

Trovai Maddalena affondata nella poltrona di fronte all'ufficio del preside, sotto il grande ritratto della famiglia reale.

Sedeva composta, le ginocchia allineate. Mi vide e si voltò dall'altra parte.

– So chi è stato davvero.

– Perché non sei in classe?

– È stata Itala. Me l'ha detto lei.
Continuava a fissare una stampa polverosa che raffigu-
rava i fori romani.
– Maddalena, dài, – le dissi.
– E allora?
– Adesso possiamo andare a dirglielo, no?
Rise. Ma era una risata tesa, patetica. – Tanto a me
non credono.
– E se vengo anche io?
– Neppure tu mi hai creduto.
Dall'ufficio del preside una voce imperiosa chiamò:
– Merlini.
Lei si alzò, batté le suole contro il pavimento e mi die-
de la schiena.
– Ci andiamo insieme, – insistetti.
– Tu non sai niente, – disse, tremante. – Hanno detto
che sono stata io e ormai è cosí che stanno le cose.
– Ma non è vero!
– La verità a cui vogliono credere è l'unica che vale.
L'hanno già deciso, non lo capisci?
Allungai una mano per prendere la sua: – Vengo anch'io.
Mi devono credere per forza
Lei si ritrasse con un gesto nervoso: – E chi sei tu? –
disse con uno sguardo cattivo. – Io mica ti conosco.

14.

Quella notte cadde una pioggia rabbiosa e grigia, tanto fitta che impediva di vedere oltre i marciapiedi. Continuò senza fermarsi per giorni, il Lambro mugghiava e straripava dagli argini. L'acqua trascinava via gli alberi che crescevano sul bordo, invadeva le cantine spaccando casse di vino e vecchi mobili, strusciava sotto i ponti ingrossandosi di una poltiglia fangosa e nerastra, rigava di terra la pietra. E io pensavo: «Ecco, dentro di me è cosí». I giorni senza Maddalena furono squallidi e insensati. Giorni di vuoto che precipitavano l'uno nell'altro. Non avevo mantenuto la promessa che avevo fatto all'Ernesto. Non ero stata capace di starle vicino. E adesso, senza di lei, ero mutilata. Ero nuda e senza difese. Senza di lei il mio mondo moriva.

Sedeva nel mio stesso banco, ma non mi guardava. La sua indifferenza era un dolore ghiacciato che mi strozzava il fiato dal petto. La professoressa ci dava i verbi da coniugare in latino, io mi offrivo di aiutarla, lei nascondeva il foglio senza dire una parola. Le lasciavo la mia merenda perché lei aveva solo la sua fetta di pane nero, e alla fine dell'intervallo me la ritrovavo sul banco, intonsa. Le chiedevo «scusa, scusa, scusa», in mille modi. Ma niente. Allora aprivo il palmo, lo tenevo verso l'alto e premevo la punta del pennino nella carne morbida, con forza, fino a far uscire il sangue. Glielo mostravo e lei voltava la testa. Si era sempre rifiutata di giocare a far finta, adesso fingeva che non esistessi piú.

Non aveva bisogno di me. Ascoltava gli insegnanti, prendeva appunti in modo ossessivo e all'intervallo rimaneva in classe a ripetere la lezione. I professori perlopiú la ignoravano, a causa di quella storia di Giulia Brambilla, che nel frattempo era tornata con una fasciatura sulla fronte e le stampelle, ma dell'incidente non aveva voluto parlare con nessuno.

Il pomeriggio, dopo la scuola, avevo preso l'abitudine di andare al ponte dei Leoni e spiarli dall'alto, i Malnati, come facevo non molti mesi prima, in una vita che mi sembrava appartenere a un'altra persona.

Speravo che sentissero addosso il mio sguardo. Ma ero un fantasma che veniva dal passato, un'ombra dimenticata.

Rincasavo con l'anima nei talloni. Mi chiudevo in camera ignorando i tentativi di Carla di rompere la scorza che mi ero costruita intorno. Mia madre restava fuori quasi tutti i pomeriggi e, quando rientrava, la prima cosa che faceva era sorridersi allo specchio e pettinarsi i capelli con le dita. Non si interessava mai a me, cantava arie da operetta e confrontava il proprio viso con quello delle attrici nelle riviste. Se la Carla le chiedeva i soldi per la carne e il latte, lei glieli lasciava la mattina dopo sul tavolo della cucina senza dire nulla. Sembrava volesse fingere di abitare da sola. Mio padre era preoccupato perché la fornitura di feltro di coniglio da Forlí tardava ad arrivare.

A volte mi ficcavo le unghie nelle braccia e prendevo a graffiarmi, rievocando le ferite che mi avevano fatto i gatti in estate. Quel dolore, anche se per poco, scacciava via l'altro. Ma sapevo che, sebbene nessuno si fermasse per strada a indicarmi col dito e a chiamarmi «strega», ero io quella che meritava di farsi masticare dal diavolo per l'eternità. Mi sentivo come quando era morto mio fratello e dovevo tenere nascosta la mia colpa che non si poteva dire. Maddalena si fidava di me e io l'avevo tradita. Mi ero illusa di essere coraggiosa come gli eroi dei miti, che avrei potuto salvarla da tutto, dal fuoco e dall'Idra a cui ricrescono le teste. Invece ero colpevole senza redenzione e per pochi, terribili giorni desiderai morire.

15.

Intorno alla fine di novembre, successe una cosa che non dimenticherò mai. Al saluto del mattino Maddalena restò al suo posto e al richiamo della professoressa dichiarò: – Io per quello lí non mi alzo. Neanche morta, mi alzo.

Il silenzio che allora cadde sulla classe era una sensazione collosa sulla pelle, come il sudore nei pomeriggi d'estate, in cui non c'è nemmeno un respiro di vento e anche all'ombra ci si scioglie.

Il duce, ci avevano insegnato ad amarlo fin dalla prima elementare con le filastrocche imparate a memoria, che paragonavano la sua nascita a quella di Gesú bambino e raccontavano la storia della sua vita quasi fosse una trasfigurazione.

Nessuno di noi aveva mai pensato di porre in discussione la sua esistenza o l'aura sacra che lo circondava. Il futuro non avrebbe potuto essere diverso dal presente. Il duce era eterno ed eterno sarebbe sempre stato. Faceva paura pensare che avrebbe potuto non esserci piú.

Non mi piacevano i suoi ritratti appesi ovunque: la sua faccia mi era sempre sembrata un enorme pollice, anche se le altre dicevano che era bello, che da grandi l'avrebbero sposato, e baciavano di nascosto le sue foto che tenevano dentro i quaderni.

Tuttavia mai mi sarei rifiutata di fare il saluto romano. Non era per fede, rispetto o ammirazione; era per semplice abitudine, per convenzione, come dire «buongiorno» e «buonasera». Lo dovevi fare e basta. Maddalena invece rimase rigida, guardava la professoressa dritta negli occhi.

Avevo saputo, da mia madre che aveva parlato con la modista per cui lavorava Luigia, che le lettere che ricevevano da Ernesto erano censurate sempre piú pesantemente. In alcune l'unica cosa che si riusciva a leggere era: «Ti voglio bene. Abbi fede».

Inoltre pochi giorni prima cinque carabinieri erano arrivati all'alba in casa di Matteo Fossati e, tra i pianti e le grida della sorella e della madre, avevano prelevato suo padre per mandarlo al confino. La sera precedente, in osteria, pieno fino al naso di vino da poche lire, aveva bestemmiato, dicendo che la Gran Bretagna aveva fatto bene a punirci.

«Assedio economico», bisognava chiamarlo. Da poche settimane, dal 18 di quel mese, erano entrate in vigore le sanzioni economiche che la Società delle Nazioni aveva imposto all'Italia dopo l'inizio della guerra in Africa.

E mentre la gente cantava *Faccetta nera* e *Ti saluto (vado in Abissinia)* parlando con impazienza della prosperità che la conquista dell'Etiopia ci avrebbe dato, erano arrivate le sanzioni che vietavano di vendere all'estero i prodotti italiani e importare materiale bellico, impoverendo di fatto il Paese intero. Ovunque per le strade si vedevano manifesti che esortavano: «Compra italiano» e scritte sui muri con «Abbasso le sanzioni», «Francia e Gran Bretagna si godono i loro imperi, perché non l'Italia?» e «Viva Mussolini». Dal mercato la Carla rientrava con cartoline infilate nella borsa della spesa; c'era scritto: «Prometto in nome della mia dignità di fascista e di italiana di non acquistare né oggi né mai piú, per me e per la mia famiglia, prodotti stranieri».

Il signor Fossati, il padre di Matteo, invece ripeteva: «Questa guerra non serve che a far morire bravi ragazzi per prender su un po' di sabbia. Gli Abissini hanno ragione. Siamo noi che vogliamo andare in casa d'altri. Perché è questo che fanno i fascisti. Prendono le cose degli altri e se le intascano per sé e per i loro amici. L'hanno fatto con la mia macelleria e lo faranno anche con le vostre cose. E per noi povera gente non restano che gli sputi. O i granelli di quella maledettissima sabbia d'Etiopia!»

Qualcuno dall'osteria doveva averlo denunciato e, nemmeno un'ora dopo che se ne era tornato a casa, i carabinieri l'avevano strappato dal suo letto cosí com'era e l'avevano portato via.

Maddalena rimase seduta, fiera: in quella postura vedevo bruciare il suo istinto alla ribellione che non si era mai sopito e che si era stancato di restare nascosto.

Un lampo di delusione le attraversò il volto quando la professoressa si limitò a dire: – Fa' come vuoi. Vedremo che ne penserà il signor Ferrari, della tua insubordinazione –. Come se il preside potesse far paura alla Malnata.

Prendemmo posto e la lezione ricominciò. Dovetti chiudere gli occhi e respirare a fondo prima di avvicinare la testa alla sua e sussurrare: – Come stai?

Maddalena ebbe una specie di sussulto: – Sto benissimo, – poi le venne l'espressione di quando fissava i rami delle querce su cui, fino a poco tempo addietro, ci arrampicavamo insieme e lei voleva salire piú in alto, o delle occasioni in cui correvamo giú dalle discese del parco e incitava: piú veloce!

– Prendete il libro di grammatica. Pagina quarantadue.

Avremmo ripassato il predicato nominale e verbale che poi avremmo affrontato in latino.

– Strada, – disse la professoressa, – alzati in piedi e leggi alla classe gli esempi.

– Il duce è laboriosissimo, – lessi con voce ferma, chiara. – Predicato nominale. Il duce guida l'Italia: predicato verbale.

– Benissimo, – disse la professoressa sbattendo il righello contro il bordo della cattedra. – E adesso, chi vuole provare a tradurre in latino?

Lo chiese divertita perché sapeva che non eravamo ancora in grado di tradurre senza dizionario frasi dall'italiano.

Il banco graffiò il pavimento con un rumore molesto. Maddalena si era messa sull'attenti. Si schiarí la gola prima di cominciare a tradurre: – *Dux ducit Italiam in Erebo*, – disse. E poi: – *Dux est scortum*.

La professoressa sbiancò. Fu come se il sangue le fosse scivolato fuori dal corpo per finirle nelle punte dei piedi.

– Fuori, – balbettò.

Maddalena stava ferma e non diceva niente.

Noialtre eravamo immobili e mute.

– Fuori! – urlò la professoressa. – Vattene fuori da qui e non tornare.

Maddalena fece un breve inchino e disse: – Sí, signora.

Le altre ragazze si misero a bisbigliare. Lei si dirigeva verso la porta, i passi misurati come l'eroina di un libro pronta per essere incoronata.

Mi alzai anch'io, tanto in fretta che la mia cartella cadde con uno rumore sordo. Si voltarono tutte: le compagne, la professoressa e persino Maddalena, che aveva la mano già stretta sulla maniglia. Mi guardò. Da cosí tanto mi mancavano i suoi occhi addosso che mi sembrò di avere la faccia davanti al fuoco.

C'era un silenzio che avrei potuto toccare.

Respirare era diventato difficile. «Raccomando al Signore il Duce, i Sovrani e la cara Patria Nostra», recitai come facevamo ogni mattina al momento del saluto. Poi aggiunsi: – Spero che mandi tutti all'inferno.

La Malnata mi aspettò e uscimmo insieme; la professoressa aveva ormai perso la voce a furia di gridare che avrebbe dovuto sbatterci fuori a bastonate e che se fossero stati ancora i tempi dell'olio di ricino e delle incursioni notturne avremmo visto quanto fosse brutto ridere senza denti.

Maddalena chiuse la porta dell'aula e le urla vennero troncate.

Si avvicinò alla finestra che dava sul cortile, si sedette sul davanzale e mi sorrise.

Il vuoto che mi pervadeva si riempí di ondate di calore sempre piú alte che mi fecero venire voglia di piangere.

Dio, come mi era mancata.

– Non dovevi farlo, – mi disse. – Adesso lo sai che succede?

– No. E non m'importa.

– Non ti importa?

– No.

– Non ce la facevo piú, – disse lei. – Non ce la facevo piú a fingere. È tutto talmente sbagliato. Non te ne accorgi?

– Di cosa?

– La guerra e alzare il braccio e dire quello che vogliono che diciamo e pensare quello che vogliono che pensiamo. E seguire le regole e fare le brave ragazze, – prese un respiro. – Mi ero stancata di ripetere solo le parole che volevano loro. Ernesto lo dice sempre: le parole sono importanti, Maddalena. Non si possono dire senza pensarci. Sono pericolose, sennò. E ha ragione. Ma sono anche potenti. Non credi?

Inghiottii la mia paura e le chiesi: – Cos'è che hai detto prima in classe? Hai parlato in latino e non credo di aver capito bene.

Rise buttando la testa all'indietro: – Ho detto che il duce è una puttana.

Parte terza

La prova di coraggio

16.

– Nessuno lo deve sapere.
Fu la prima cosa che mamma disse dopo essere uscita dall'ufficio del preside. Aveva il trucco pesante, il cappello turchese con la veletta e un vestito da gran ballo, completamente fuori luogo, che si era lisciata con le dita, annuendo come una studentessa giudiziosa, almeno lei, per tutto il tempo in cui la professoressa aveva parlato della mia «avventata manifestazione di anti-italianità».
Io ero rimasta in piedi, la schiena al muro e le mani intrecciate. Non avevo il permesso di fiatare. A parlare per me fu mia madre: – Il nostro è un nome rispettabile. Con questa storia non abbiamo niente a che fare.
Poi la porta dell'ufficio del preside si richiuse dietro di noi e restammo sole; mamma mi trascinò fino al ritratto della famiglia reale e si fermò a guardarmi come se avesse voluto schiacciarmi, raccomandandosi ancora che non facessi parola con nessuno di quello che era accaduto.
– Lasciami spiegare.
– Zitta! – urlò. – Zitta, devi stare. Come fai a non capire? – Mosse la testa e gli orecchini d'oro le batterono contro le guance. – Lo sai cosa ne è di una ragazza quando la sua reputazione è rovinata? Tanto vale che si anneghi nel fiume.
– Volevo solo...
– Cosa? Cosa volevi?

– Farmi sentire.

– Disgraziata –. Allungò una mano per schiaffeggiarmi e io sussultai. Invece mi afferrò per il mento: – Il tuo compito è di stare zitta. E aspettare. Questo fa una brava ragazza.

– Aspettare cosa?

Scrollò le spalle con una smorfia crudele che non riuscii a spiegarmi. – Da grande lo capirai –. La sua mano indugiò sul mio viso, quasi avesse voluto accarezzarmi ma avesse dimenticato come fare. – E se anche questa volta tuo padre preferisce fingere che non sia successo niente, vedrai che ci penso io a mettere a tacere questa brutta storia. Per tutti noi.

A casa, papà non disse una parola, mi fissava in silenzio, duro, poi distoglieva lo sguardo. A cena i suoi gesti furono sbrigativi e bruschi, si alzò per andare a dormire senza nemmeno finire la zuppa. La mattina dopo, quando lui stava per uscire, mia madre si mise davanti alla porta a braccia incrociate: – Adesso basta. Devi dire qualcosa a *tua figlia* –. Lui mi scrutò a lungo, lo stesso sguardo della sera precedente. Non gli apparteneva, non era mio padre.

– Allora? – insisté lei.

– Tua madre vuole che ti rimproveri, – disse lui, – ma io non ne ho voglia.

Mamma si piegò in due e urlò alla Carla di prepararle l'Ischirogeno, ché la testa le scoppiava. Poi corse in cucina continuando a gridare: «È una casa di matti».

– Ti dico una cosa, però, – continuò mio padre, – crescendo si deve imparare che spesso è meglio non dire ciò che si pensa davvero.

– E come si fa?

– Te lo tieni dentro. Lo custodisci. Lo levighi. Lí può stare al sicuro.

– E smette di bruciare?

Sorrise, un sorriso stanco: – Mai. Quello mai.

Alla fine fui riammessa a frequentare le lezioni. Mia madre se ne andava in giro per casa a testa alta dicendo: – Ricordatelo, la prossima volta, che a tuo padre non importa della reputazione di *sua* figlia –. Era stato grazie a lei se avevo ottenuto la possibilità di tornare a scuola. Disse solo che aveva chiesto un favore a un amico di papà, uno influente, e che le cose si erano risolte. Nessuno degli insegnanti fece piú parola di quell'episodio, come se non fosse mai nemmeno successo. Le compagne presero a isolarmi, a lanciarmi i sassi in cortile e a chiamarmi «la sovversiva».

Maddalena, invece, era stata espulsa in sordina, senza troppo chiasso. Del genere di disobbedienza che aveva dimostrato era meglio non parlare. Avrei dovuto essere grata a mia madre, ché solo per il suo intercedere non avrei perso l'anno. Ma la verità era che l'unico posto in cui volevo tornare era tra i Malnati. L'avevo detto a Maddalena e lei mi aveva chiesto: – Sicura che hai il coraggio?

Voleva vedere se ero ancora degna di stare assieme a loro. Matteo e Filippo le avevano suggerito di sputarmi come un veleno. *Vardeten ben de chi t'ha bolgiraa una vòlta* sosteneva Matteo, che da quando il padre era lontano aveva preso a usare sempre piú spesso il suo dialetto e i suoi modi di dire.

Maddalena gli aveva risposto che a guardarsi ci pensava da sola e che lei non si faceva raggirare. Il modo migliore per perdonarmi era mettermi alla prova.

Faceva freddo la sera della prova di coraggio, quel freddo che straziava le guance e trasformava in nebbia il fiato. In strada i lampioni si accendevano e le signore con le sciarpe di volpe tornavano a casa dopo le ultime compere. La Malnata mi disse, sottovoce: – Tieni giú la testa –. Strusciavamo i gomiti e le ginocchia sul pavimento di marmo del fruttivendolo, poco dopo l'ora di chiusura. Dalle vetrine entrava la luce gialla dei lampioni, cristalli di brina si annidavano agli angoli, nel legno sbeccato, e facevano risaltare i segni opachi dei nasi dei bambini che vi si erano appoggiati per sbirciare i cestini di datteri e di zenzero candito. C'era l'odore pastoso dei fagioli e quello pungente degli agrumi. Il signor Tresoldi cantava dal retrobottega facendo i conti, la voce soffocata dal vetro smerigliato della porta chiusa: «Parlami d'amore, Mariú, tutta la mia vita sei tu». Dal cortile veniva l'abbaiare nervoso del cane alla catena.

Della Malnata che avanzava davanti a me vedevo la gonna strappata, l'orlo del vecchio paltò da uomo e le suole consumate delle scarpe. Il gelo aspro del marmo penetrava le maniche del mio maglione, nella bocca il sapore acido della paura.

Presi un respiro e sentii risuonarmi nella mente le parole di Maddalena: «Non ho paura di niente, io».

Per entrare senza fare rumore avevamo approfittato del campanello che aveva suonato quando era uscita la Maria, la servetta della famiglia Colombo, che portava tra le braccia da contadina le sporte della spesa. Poi ci eravamo nascoste dietro le cassette di legno vuote, ammucchiate nell'angolo, da lí potevamo vedere senza essere viste. Il signor Tresoldi si era ritirato nel retro per fare i conti della giornata e il negozio era silenzioso come un albero cavo, il cartello sulla porta con scritto «Chiuso». Maddalena mi aveva guardato coi suoi occhi sicuri e aveva sussurrato: – Sei pronta?

Eravamo uscite dal nostro nascondiglio e avevamo iniziato a gattonare sul pavimento gelato.

Pensai alla faccia del signor Tresoldi, alle sue mani larghe coi palmi screpolati dalle spine dei carciofi e lo sporco della terra sotto le unghie. E mi tornò in gola la paura. Era gentile quando andavo al negozio con la mamma e lei ordinava le pesche con la pelle lanosa, le patate, i cavolfiori e le noci e in estate persino le fragole. Si mostrava interessato alle cose che diceva mia madre, anche se erano le stesse che aveva detto la settimana prima. E poi rideva e mi chiedeva se mi piaceva la scuola o se volevo una caramella alla menta, che andava a prendere nel retro senza aspettare che gli rispondessi. Io, per non offendere, come mi aveva insegnato mamma, dicevo sempre: «Grazie», e me la infilavo in bocca esclamando: «Buona». Non appena uscivamo dal negozio la sputavo.

Il signor Tresoldi annuiva con soddisfazione e con fare bonario ogni volta che mamma tirava fuori il portafoglio e pagava l'anticipo. Quando invece si arrabbiava, specie con Noè, che inciampava spostando la cassetta dei pomodori o faceva male i conti, allora lo sentivo urlare dall'altra parte della strada e mi spaventavo. Bestemmie, rumore di cose rotte e lo schiocco degli schiaffi.

Ora il fruttivendolo cantava nell'altra stanza, appena oltre la porta serrata. La luce della lampada filtrava dal vetro opaco e Maddalena mi fece un cenno con il mento. La cassetta dei mandarini era in fondo al negozio, vicino alla cassa. Era un frutto ambito e prezioso che Maddalena e i Malnati ricevevano solo a Natale, uno ciascuno, come regalo, chi per vere ristrettezze, chi per imparare la disciplina e la rinuncia. A casa mia non erano cosí rari, invece, mamma ne comprava un sacchetto non appena cominciava il freddo, anche se costavano tanto e papà diceva che era un vizio e i vizi sono cose che ti rendono debole. Ma non l'avrei mai ammesso di

fronte ai Malnati, perché avrebbero detto che ero una
vessíga, una noiosa, come si dice delle mosche che ti ron-
zano forte intorno.

Strisciammo fino alla cassetta che conteneva il nostro
bottino, lei davanti e io dietro. Maddalena si alzò piano,
una lumaca che aguzza le antenne ed esce dal guscio non
appena sente le prime gocce di pioggia.

– Ci siamo, – disse tenendo sollevato con una mano l'orlo
della gonna e afferrando con l'altra gli agrumi che cacciava nella conca di tessuto che si era formata. Piú mandarini si accumulavano, piú lei stringeva i bordi della gonna e
li faceva aderire al busto perché non scivolassero dai lati,
mostrava le cosce forti e bianche.

Il fruttivendolo cantava: «Meglio nel gorgo profondo,
ma sempre con te. Sí, con te». Allora mi alzai e mi riempii
le tasche anch'io. Poi ne infilai altri due nelle mutande.

La Malnata stava per scoppiare a ridere, si trattenne
finché non le venne fuori solo un raspo di gola soffocato.

Fu allora che alle nostre spalle udimmo il campanello
che annunciava l'apertura della porta. Tutto in me si irrigidí: la luce gialla del lampione dall'altro lato della strada
delineava l'ombra di Noè Tresoldi che tornava dalle consegne con tre cassette vuote.

Lanciai un grido, Maddalena allungò una mano a tap-
parmi la bocca, ma lasciò andare l'orlo della gonna e i mandarini rotolarono a terra con il rumore franoso dei sassi
che sulle rive del Lambro facevamo cadere nell'acqua giocando a rincorrerci.

– Chi l'è? – disse il fruttivendolo.

Maddalena mi diede uno strattone. Ero paralizzata.
Noè si piegò a raccogliere un mandarino che gli era roto-
lato vicino a una scarpa. Maddalena si portò un dito alla
bocca e disse: – *Shhh*.

Poi mi spinse dietro le cassette di frutta all'entrata, in fondo, contro l'espositore delle zucchine.

– Chi l'è che fa sto burdel? – gridò ancora il fruttivendolo emergendo dal retrobottega.

Maddalena schiacciò la faccia tra le fessure delle cassette di frutta. Il cuore mi pulsava forte contro le tempie.

– Che hai fatto? – urlò il signor Tresoldi. – *Sbregun* maledetto. Guarda che disastro!

Guardai anch'io tra le fessure delle cassette.

Il fruttivendolo si era tolto il grembiule macchiato di terra e di succo scuro. Si chinò e prese un mandarino. Non era piú una sfera perfetta con la buccia lucida: si era ammaccato, come quando affondi i pollici nella testa di una bambola di celluloide e si forma un buco largo quanto un polpastrello.

– Delinquente, – gridò lanciandolo contro Noè.

Andò verso di lui strascicando il piede malato e sbattendo con forza l'altro, tanto da far tremare il pavimento. Lo prese per un braccio, gli diede uno schiaffo, che schioccò come il pestello di ferro contro la carne cruda su un tagliere.

Noè cadde, i gomiti e il mento picchiarono forte contro il marmo, i mandarini sotto la sua pancia. Il signor Tresoldi continuava a chiamarlo *sbregun* e a dargli calci nel fianco, aggrappato alla parete per tenersi in equilibrio sulla gamba malferma.

Cercò di sollevarsi. Gli usciva sangue dal naso.

I suoi occhi incontrarono i nostri, ritagliati dalle fessure delle cassette di frutta vuote.

Strinsi la mano di Maddalena. Sarebbe toccato a noi, adesso. Noè avrebbe fatto la spia e il signor Tresoldi ci avrebbe riempite di schiaffi, ci avrebbe rotto le costole a furia di calci.

Invece non accadde niente. Noè premette la fronte contro il pavimento.

Il signor Tresoldi ordinò: – Pulisci tutto, adesso.

Sparí dietro la porta di vetro smerigliato calciando via i mandarini come se la rabbia gli fosse scivolata nella punta delle scarpe, nel piede cui gli erano state tagliate le dita. Noè si passò l'indice sotto il naso e vi lasciò una striscia rossa.

La mano di Maddalena era fredda e asciutta contro la mia. Scattò trascinandomi dietro di sé, fuori dal nostro nascondiglio. Noè ci guardava.

– Aspetta, – sussurrai, ma lei raccolse un mandarino e mi spinse fuori dal negozio. Oltre la porta, il freddo sapeva di neve imminente.

17

Il giorno dopo, Maddalena decise due cose importanti. La prima: avevo superato la prova, potevamo tornare a essere amiche. La seconda: aveva un debito da pagare e l'avrebbe fatto a qualsiasi costo.

Quando venne a prendermi sotto casa, quel pomeriggio, mi disse di aver rubato i soldi che la madre teneva da parte, nel suo posto segreto, in quella che era stata la *schiscetta* da lavoro del marito, e mi mostrò un biglietto da cinquanta lire tutto stropicciato.

– E che ci vuoi fare?

– Lo voglio dare a Noè.

– E se lo scopre tua madre?

– Che m'importa?

– Se scopre che hai rubato dal suo posto segreto?

– Ho detto che non m'importa.

Lo aspettammo in piedi sul marciapiede dall'altra parte della strada, davanti alla tabaccheria sulla cui serranda chiusa c'era scritto «Viva il Duce», «Viva l'Italia», «Abbasso le sanzioni». Mi soffiavo nei palmi per resistere al freddo: – Quanto ancora dobbiamo aspettare?

– Quanto serve.

Non appena Noè uscí dal negozio e si mise a legare le casse di frutta sul portapacchi della bici, Maddalena disse: – Andiamo, – e attraversò di corsa la strada fino a fermarsi di fronte a lui. La raggiunsi, il fiato che mi mancava e la bocca secca.

Noè ci guardò per un attimo, poi tornò a concentrarsi sul suo lavoro. Aveva mani grandi, da uomo fatto, calli sulle dita, unghie tonde e belle.
– Questi sono per te, – disse Maddalena porgendogli la banconota.
– Che sono?
– Soldi. Per i mandarini, – rispose lei, – e anche per il naso e per la faccia.
– Dove li hai presi?
– Non sono affari tuoi.
Lui legò la corda intorno alla cassetta della frutta e agganciò l'uncino al portapacchi della bici. Aveva un lato della faccia gonfio e sotto l'occhio destro un livido del colore delle prugne mature.
Maddalena continuava a tendere il braccio.
– Non li voglio.
– Non lo sai chi sono? Non lo sai che ti posso fare, sennò? Ti ho detto di prenderli.
– Sei la figlia della signora Merlini, – rispose Noè.
Lei annuí appena.
– Mettili via.
– Perché non li vuoi?
– Rimettili a posto, Maddalena, – insistette dando uno strattone alla cassetta per assicurarsi che fosse ben salda. – Prima che tua madre se ne accorge e prima che torna mio padre, che di voi si ricorda da quella volta delle ciliegie.
– Mica mi fa paura, a me, tuo padre. Non mi fa paura niente.
Noè afferrò il manubrio e con il piede spinse in basso il pedale. Guardò me, dovetti fare uno sforzo per non abbassare gli occhi. – Possiamo fare una cambiale, se volete.
– E che è? – domandò Maddalena.

– Quella che usano i grandi quando devono pagare qualcosa ma non c'hanno i soldi. E allora scrivono «Pagherò».

– Ma i soldi io ce li ho.

– E io non li voglio.

– Ma se non vuoi i soldi, che vuoi?

– Non lo so, – disse, – non ho ancora deciso –. Saltò in sella e iniziò a pedalare.

Sparí in fondo a via Vittorio Emanuele, oltre il ponte dei Leoni, la cassetta della frutta che traballava.

Solo dopo che Noè era ormai sparito in mezzo alla gente che sciamava verso piazza Duomo, Maddalena ripose il biglietto da cinquanta lire. – Hai sentito che ha detto?

– Che i soldi non li vuole.

– Non quello. L'altra cosa.

– E che ha detto?

– Il mio nome.

18.

Eravamo sulla balaustra del ponte dei Leoni e guardavamo la piena del Lambro che aveva raggiunto il punto più alto. Maddalena mi disse: – Io le faccio succedere davvero, le cose brutte, alle persone.

– Non devi più mettermi alla prova, – replicai in un fiato.

– No, – mi fece segno di tacere. – Dico sul serio. Le cose che ti ha detto la Giulia Brambilla in cortile, quelle su mio fratello e mio padre e pure sull'Anna Tagliaferri, sono tutte vere.

Mi raccontò che la prima volta in cui si era accorta di possedere quello che lei chiamava «potere della voce» era stato a sette anni, giocava con Dario in cucina. Suo fratello aveva solo quattro anni e credeva che Maddalena fosse una regina. Qualsiasi cosa facesse voleva sempre farla anche lui. Quel giorno fingevano di essere delle rondini: in piedi sulle sedie saltavano giù come piccoli che dovevano ancora imparare a volare. Poi Maddalena aveva detto a Dario: «Adesso sei capace davvero. Puoi volare anche nel cielo, se vuoi».

E lui si era arrampicato sul tavolo, si era sporto dal davanzale e si era buttato. Non era caduto e basta. Aveva aperto le braccia, si era girato e le aveva detto: «Guardami».

La Malnata rimase in silenzio a fissarsi i piedi. La immaginai più piccola, tanto piccola da stare in un pugno,

sola nella cucina silenziosa, a trattenere il respiro fino a sentire il rumore sordo dell'impatto.
– Per questo hai paura?
– Io non ho paura.
– Hai paura di giocare a fare per finta, intendo. A raccontare storie.
– Quando racconto cose che non esistono capita che quelle cose succedano, – esitò, – o è la gente che se le sente succedere addosso e allora fa cose sbagliate. Come Dario che si è buttato dalla finestra perché credeva di volare. Ci ha creduto perché gliel'ho detto io.
– Non è colpa tua.
– E di chi è, allora?
– Non lo so, – dissi scrollando le spalle. – Magari è successo e basta. Le cose brutte succedono e basta.
Pensai a mio fratello che era morto quando era ancora una cosa piccola e tenera, a mia madre che aveva passato la notte a chiedere al Signore di non portarglielo via, e dissi: – La gente muore ogni giorno per niente. Anche se preghi e chiedi che succeda il contrario. E non è colpa di nessuno.
– Non vale per me, – sbottò lei. E mi raccontò della volta in cui, a dieci anni, aveva litigato con suo padre, per una questione di nessuna importanza: un laccio di una scarpa che aveva usato per giocare con la trottola finendo per romperlo. Lui si era arrabbiato, l'aveva punita, ché al lavoro ci avrebbe fatto una figura con la scarpa tutta allentata. Mi raccontò di come la sera, prima di essere costretta ad andare a dormire senza mangiare, gli avesse detto: – Meglio se domani non torni.
E mi raccontò di Anna Tagliaferri, la sua compagna di banco all'ultimo anno delle elementari. Di come si era messa a sbattere la testa sul banco fino a che il sangue e

l'inchiostro rovesciato si erano mischiati e aveva preso a schiumare dalla bocca. Solo perché avevano litigato e lei le aveva detto che «non la voleva piú vedere».

Era come se in mezzo alle disgrazie e alla morte che la circondava trovasse conforto in quell'assurda convinzione: la certezza che fosse stata lei ad averle causate.

– Quindi se adesso tu mi dici di buttarmi nell'acqua e annegare io lo faccio?

Incassò il collo nelle spalle.

– Cosí e basta?

– A volte è cosí e basta, – disse lei. – Altre, te lo devo spiegare. Ti devo convincere. Come se fosse una cosa vera. Un pensiero tuo, lo capisci?

– Prova.

– Che cosa?

– Prova, dài. Adesso. Con me.

– No –. La faccia le si contrasse e gli occhi divennero le crune di un ago.

– Mi fido, – la incalzai. – Davvero. Voglio solo capire come...

– No! – urlò. – Io quella cosa non la voglio fare piú. Soprattutto non a te.

– Non hai fatto succedere solo cose brutte, – ribattei.

Lei mi guardò senza parlare.

– L'altro giorno in classe, – continuai, – è stato solo per te che poi mi sono alzata anche io. E mi è piaciuto. Anche se avevo paura. Una paura del diavolo. Ma è stato bello. Dopo, dico, arrivata a casa. E non importa cosa pensa mia madre. Non mi sarebbe importato nemmeno se a scuola non mi ci avessero fatto andare piú.

– Questo non lo devi dire.

– Stavo bene. Mi sembrava di pesare di meno, come quando te ne stai troppo tempo sott'acqua e poi ti decidi

a uscire a respirare. E anche la prima volta che mi è venuto il sangue. Sei stata tu a farmi passare la paura.
- È diverso.
- Non pensavo che si potesse fare.
- Che cosa?
- Ribellarsi, - risposi. - Me l'hai insegnato tu.
Riprese a dondolare le gambe dalla parte del fiume:
- Com'è che non hai paura, te?
Esitai. Nei giorni in cui Maddalena era sparita dalla mia vita mi ero resa conto di quanto valesse quello che ci legava. Ma le parole per dirlo non mi venivano.
Della parola «amore» i grandi facevano un uso spropositato, specialmente se a scuola parlavano di Mussolini. Ci dicevano che il duce «amava i bambini» e ci chiedevano se anche noi amassimo lui. Usavano proprio quel termine e gliene affiancavano altri come «ardere», «morire», «soffrire». L'amore diventava la ragione per cui le attrici del cinematografo si aggrappavano alle tende. Una cosa recitata. Una cosa finta.
Allora le dissi: - Ti voglio bene.
E poco dopo mi accorsi che Maddalena stava piangendo.

19.

Dicembre era un mese che avevo sempre aspettato con impazienza. Fin da quando la Carla girava la pagina del calendario appeso in cucina accanto alla ghiacciaia, cominciavo a contare i giorni che mancavano a Natale. Scrivevo delle x con le matite colorate sperando di far scorrere piú veloci le ore che ci separavano dall'arrosto al miele con le castagne, dai regali e dalle gare con lo slittino alla discesa sul prato della Villa Reale. Quell'anno non me ne accorsi nemmeno. Dicembre arrivò assieme a una neve sporca, che spalavano senza cura dalle strade e poi facevano marcire sotto i marciapiedi, accanto ai tombini.

Nei negozi dove c'erano sempre state le pubblicità di bambini felici che divoravano grosse fette di panettone Motta, ora erano affissi cartelli dai colori spenti, severi, con un'unica grande scritta: «Il Natale Motta è il Natale italiano».

Fuori dallo spaccio e all'uscita della messa delle undici le vecchie parlavano piano di quella guerra che dicevano sarebbe durata per sempre. Gli uomini stavano lontani, in disparte. Erano vecchi incurvati, sputavano sulla neve tabacco masticato. Imprecavano contro il Signore e contro quella che chiamavano «la grande ignominia». Per colpa della Gran Bretagna e della Francia, che intanto si godevano il loro posto al sole e colonizzavano a piacere tutti i paesi d'Africa, il tè non si trovava e mia madre era costretta a bere il karkadè.

A scuola la professoressa di storia aveva appeso una carta geografica dell'Etiopia su cui ci faceva appuntare una serie di bandierine per segnare i luoghi conquistati: l'esercito avanzava e noi dovevamo dire un'*Ave Maria* e un *Pater Noster* per i nostri «coraggiosi soldati».

Il banco di Maddalena era rimasto vuoto. Lei aveva detto che non le importava, ma sapevo che nelle lettere all'Ernesto continuava a raccontare di interrogazioni e compiti in classe, di lezioni di cui aveva notizia da me. Aveva fatto promettere a Donatella e Luigia di non dirgli niente e loro avevano acconsentito per non aggiungergli altre preoccupazioni.

Maddalena diceva che con l'Ernesto avevano preso a scriversi in codice: lui contrassegnava, con una macchia d'inchiostro, le parole da leggere, cosí poteva dire la verità senza farsi silenziare dalla censura: «*Non voglio* lamentarmi. *Combattere* è diventato facile come bere *il brodo*. È *inconsistente* la strategia dei nostri *nemici*. Di amici fedeli come i miei commilitoni, *non ne ho mai avuti*». In fondo alla lettera, nella sua scrittura che sembrava la bella grafia delle elementari, c'erano sempre le stesse frasi: «Cerca di fare la brava. Prenditi cura tu di Donatella e della mia Luigia. Abbi fede».

Il 18 dicembre mia madre mi disse: – Vestiti bene. E copriti ché fa freddo.

– Bisogna andarci per forza?

– È una cosa che si deve fare.

– Perché?

– Si deve fare e basta.

Uscimmo di casa dirette in piazza Trento per mischiarci con la gente assiepata sotto il monumento ai caduti. Una volta lí, mi affannai a cercare Maddalena, ma mia madre mi teneva per il polso, mi trascinava: – Muoviti –. A un certo punto mi bloccai, caricai il peso sui talloni e diedi uno strattone per liberarmi dalla sua stretta: – Lasciami! – Lei mi guardò mentre tutt'intorno la folla ci spintonava. Ci fissammo come due estranee. Si passò due dita sotto il naso congestionato dal freddo, disse solo: – Che hai detto? – E nei suoi occhi c'erano i mille discorsi sulla reputazione, sul nostro buon nome, sulle persone che ti giudicano, sulle brave ragazze che non disobbediscono mai ai genitori. Ma io non ero come mio padre, non ci riuscivo piú a tenermi dentro ogni cosa. – Lasciami andare, per favore –. Corsi via senza voltarmi indietro.

Quando raggiunsi Maddalena lei mi chiese: – Che ti succede?

Io, ancora con il fiatone, dissi: – Avevo paura di non riuscire a trovarti.

Osservammo assieme le vecchie salire a fatica gli scalini che conducevano verso la statua di bronzo dei guerrieri avvinghiati in battaglia e dell'arcangelo, per donare l'anello d'oro di nozze in nome della Patria e della Fede.

Mucchi di neve grigia sporcavano la piazza, imbiancavano la tromba dell'angelo ritta verso il cielo e gli scudi dei soldati di bronzo ammassati gli uni sugli altri. C'erano i rappresentanti della *Combattenti e Reduci* a tenere alti i gagliardetti dell'associazione, e i vigili che sollevavano il gonfalone della città con sopra disegnata la Corona ferrea. C'erano tutte le autorità ben vestite a guardia dell'elmo rovesciato posto sull'altare, dove le donne avrebbero donato le proprie fedi, vicino ai nomi dei caduti di quella guerra in cui aveva combattuto anche il fratello di mamma e che chiamavano «grande». Ricordai le volte in cui papà mi aveva fatto salire sul punto piú alto del monumento, anche se non era permesso, e mi leggeva i nomi di quelli che erano morti. Fingevo che fossero miei amici e che alla guerra avessero solo giocato. Si sarebbero rialzati come i bambini che fingono di essere colpiti da uno sparo esploso dagli indici dei loro compagni, poi tornano a casa a fare merenda. Mi pareva strano che una persona che aveva avuto un nome e un cognome adesso non esistesse piú e fosse solo una scritta che la pioggia scoloriva. Papà mi aveva raccontato che sotto la base del monumento si apriva un luogo segreto, protetto da un cancello, dove erano custodite due ampolle che contenevano la sabbia e l'acqua del Piave. Un fiume sacro, diceva, al quale avevano pure dedicato una canzone. Prima di tornare a casa si fermava sempre dinanzi all'ingresso della cappella e mi leggeva ad alta voce la frase incisa: «E qua mostrando verran le madri ai parvoli le belle orme del vostro sangue». L'aveva scritta un poeta che amava tanto l'Italia e significava che non era vero che quei ragazzi erano morti inutilmente, perché gli italiani si sarebbero ricordati di loro. Ma non ero sicura che mio padre ci credesse davvero.

Lo raccontai a Maddalena e lei disse: – Non importa a nessuno del sangue che ha versato chi è morto. La guerra vecchia tutti l'hanno già dimenticata o se ne ricordano solo se fa comodo. Adesso parlano di quella nuova, non lo vedi?

Le donne indossavano l'abito della domenica e nascondevano i capelli col velo. Salivano le scale e facevano cadere nell'elmo la fede nuziale. In cambio ricevevano un anello di ferro con inciso «Oro alla Patria» e un diploma con il fascio littorio.

La folla faceva il saluto, forse per avere una scusa per muoversi e scacciare il freddo. Maddalena continuava a passarsi la lingua sulle labbra screpolate. Diceva: – Questa cosa qui non significa avere fede.

Mia madre si era messa il cappello col nastro dorato, i guanti bianchi. La indicai da lontano a Maddalena e dissi: – Guardala come se ne va in giro fiera –. Camminava impettita nel suo cappotto con la pelliccia mentre saliva verso l'elmo delle offerte. Io sapevo, però, che avrebbe sacrificato un anello finto, solo placcato in oro, che si era fatta realizzare apposta dal Viganoni, il gioielliere. La madre di Maddalena aveva un foulard che le batteva sulle guance a ogni soffio di vento. Non voglio che mi tolgano anche questo, – diceva accarezzando la fedina di oro opaco segnata dagli anni. Stavolta non poteva aggiungere: «se il duce lo venisse a sapere» perché era stato proprio lui a chiedere quel sacrificio a lei e a tutte le donne italiane. «Non c'è piú rispetto, – continuava a ripetere, – non ce n'è proprio piú».

– Può anche non farlo, – mi sussurrò Maddalena all'orecchio. – Mica è obbligata.

Ma io sapevo che non era facile. Era stato mio padre a spiegarmelo quella mattina, mentre mamma, con una limetta da unghie, consumava la superficie dell'anello placcato e nuovo per farlo apparire vissuto. Ciò che la gente era venuta a fare quel giorno non rispondeva a un vero e proprio ordine, uno di quelli che se non obbedisci ti fucilano alle spalle e cancellano il tuo nome da chi «merita onore». Lo definivano «un dono spontaneo». Se ti rifiuti magari non ti prendi un proiettile nella schiena, ma devi lo stesso guardarti bene alle spalle per sempre.

Persino la regina aveva donato la sua fede di nozze. E anche Rachele Mussolini. Pirandello aveva dato la medaglia del Nobel, D'Annunzio una cassa d'oro. Se eri un buon italiano donavi anche tu.

Maddalena si strofinava le mani intirizzite. Mi tolsi i guanti, le frizionai tra le mie e le dissi: – Infilale nelle mie tasche, cosí si scaldano –. Mi abbracciò e mi sembrò che il freddo sparisse quando mi respirò addosso.

Sua madre salí a fatica la scala del monumento, con lo scialle e l'abito nero, come una rondine intirizzita. Rimase a lungo in piedi poco distante dall'altare, cercando di togliersi l'anello dal dito. Un ragazzo si chinò a raccogliere un po' di neve con cui si inumidí le dita. Poi le prese la mano e la sfregò tra le sue finché la fede non sgusciò via cadendogli sul palmo. Non fu lui a gettarla nell'elmo. La restituí e arretrò toccandosi la tesa del cappello con un inchino rispettoso. La madre di Maddalena lo fissò perplessa, poi baciò la fede e la fece cadere nell'elmo, in mezzo alle altre.

Fu allora che Donatella ci riconobbe da lontano e si fece largo tra la folla assieme a Tiziano, che le stava a braccetto. Lei aveva la faccia arsa dal freddo, i capelli acconciati con cura: – Sono venuta a dare la catenina della cresima.

– Buongiorno, signorine, – disse Tiziano con quel suo sorriso da statua greca.

– E voi? Non avete portato niente? – chiese Donatella aggiustandosi la pettinatura. Poi, rivolgendosi alla sorella: – Tu hai il ciondolo della comunione. Potevi pensarci.

Maddalena si limitò ad alzare le spalle, io feci altrettanto.

– Sono solo ragazzine, – disse Tiziano, – che differenza vuoi che facciano? Dài, andiamo.

Strinse a sé la sua fidanzata e mentre si allontanavano cercava con le dita di passare tra un bottone e l'altro del cappotto di lei. Donatella rise: – Ci vedono, dài.

Prima che venissero inghiottiti dal resto della folla sentii Tiziano dire: – Te l'ho promesso che ti sposo.

Allora lei lasciò che lui le baciasse i capelli, le guance, il collo.

20.

Mancavano due giorni a Natale e la neve aveva preso a cadere fitta posandosi sulle cose come volesse farle sparire, i giardinetti vicino alla fermata del tram erano solo per noi. C'era un silenzio strano intorno, gli odori intensi: quello dei guanti di lana, umidi per quante palle di neve ci eravamo lanciati, il sudore che filtrava dai cappotti pesanti e la resina appiccicosa degli abeti. La Malnata si dondolava sull'altalena calciando via i mucchi di neve; Filippo e Matteo, appoggiati alla struttura di legno, parlavano di regali e di guerra.

– Da grande ci voglio andare, – disse Filippo, – cosí imparo a sparare col moschetto e mi prendo anch'io le donne dei nemici –. Si augurava che quell'anno il padre gli regalasse un trenino di latta e il fucile vero coi proiettili: ai raduni del sabato avrebbe dimostrato che sapeva sparare come un uomo. Matteo, dal canto suo, desiderava solo poterlo rivedere, suo padre, che dal confino non scriveva alla famiglia perché non aveva mai imparato nemmeno a leggere. I due ragazzi litigavano spesso da quando il padre di Matteo non era piú a casa. A innescare la lite bastavano motivi sciocchi, per esempio a chi toccasse spingere la Malnata sull'altalena o chi meritasse di mangiare l'unico biscotto intero tra quelli che Filippo aveva sgraffignato in cucina, sbriciolati dentro un fazzoletto con le iniziali ricamate. Si insultavano, si chiamavano con nomignoli cattivi. Matteo diceva che, da grande, Filippo sarebbe diventato come i carabinieri che avevano arrestato suo padre: un venduto e un codardo. Lui invece diceva che Matteo era un ignorante e non sarebbe diventato proprio niente, come suo padre. Si picchiavano rotolandosi nella neve, si tiravano calci. Maddalena interveniva a separarli, urlando «Piantatela». Dava a entrambi uno scappellotto, forte: «Siete capaci solo di ripetere quello che dicono gli altri». Poiché era lei a chiederlo, alla fine, controvoglia, facevano pace. Solo su un principio Matteo e Filippo non litigavano mai: era la guerra a renderti un uomo fatto, perché solo il giorno in cui conosci il sangue puoi dire di essere cresciuto.

Maddalena aveva il suo vecchio cappotto maschile abbottonato fino alla gola. Fece un cerchio nella neve con la punta del piede e disse: – Non serve mica andare in guerra, per essere uomini.

– E l'onore dove lo metti? – disse Filippo.

– L'onore ci può essere anche senza la guerra. E senza il duce, – ribatté lei.

Matteo si ficcò le mani sotto le ascelle per scaldarle e tirò su con il naso: – Me ne frego del duce. Ma se vuoi definirti uomo devi essere capace di ammazzare. Guerra o non guerra.

– Sono cose da maschi, – aggiunse Filippo, – cosa vuoi capirne tu?

Scese di botto il silenzio. Un mucchio di neve scivolò da uno dei rami piú alti e cadde a terra con un suono ovattato.

Era da quella volta del sangue giú al Lambro che Matteo e Filippo avevano cominciato a guardarci in modo diverso, a cercare le differenze che li distinguevano da noi. Da quando poi Maddalena aveva deciso di riammettermi malgrado loro non fossero d'accordo, avevano preso a par-

lare fitto fitto zittendosi di colpo appena ci avvicinavamo
con la scusa che erano «cose da maschi».
Erano convinti che nascondessimo un segreto, io e Maddalena. Per questo, avevano deciso di inventarsene uno
anche loro, per non essere da meno.
Maddalena rise: – Perché, voi sapreste davvero ammazzare qualcuno?
– Non ci credi? – fece Matteo.
– Ma che vuoi che ne sappia lei? – Filippo esplose in
una risata cattiva. – Dice cosí perché in guerra non ci può
andare nemmeno da grande e deve rimanere qui a cercarsi
un marito e a dargli i figli che poi diventano soldati. Me
l'ha detto mio fratello, a me, che l'unica cosa che devono imparare a fare le femmine è a darsi senza pretendere,
proprio come le donne del duce. Perché se sei uomo, le cose che vuoi, te le prendi e basta. Ce lo dice sempre papà.
Maddalena saltò di colpo giú dall'altalena e andò verso di lui.
Filippo arretrò tanto in fretta che inciampò nel palo di
legno crollando a terra, la schiena affondata nella neve.
– Hai paura, adesso, eh? – La Malnata era calma.
Filippo ansimava, le braccia larghe, fumando vapore
dalla bocca spalancata. – Dài, picchiami, allora.
– Non serve, – fece lei, – tanto lo sai già, che ti batto.
– Ti sei fatta cambiare da quella lí, – disse lui. Si solle-
vò spazzandosi di dosso la neve, e per un attimo nei suoi
occhi chiari rividi quelli del padre, il modo che aveva di
guardare le cose come se fossero sue. – Siete solo femmine.
Voi non sapete che vuol dire ammazzare, – sibilò.
Era la prima volta che uno di loro usava quella parola per
Maddalena: *femmina*, lei non lo era mai stata. Non per loro.
– Le femmine siete voi che non capite niente, – sputò
Maddalena. Mi prese una mano: – Andiamocene.

Corsi con lei verso l'uscita dei giardinetti, la neve che scricchiolava sotto le scarpe.

– *El can furestee cascia el can de paiee*, – ci urlò dietro Matteo, come se la Malnata fosse una cosa loro e io fossi un nemico venuto da chissà dove per cacciarli e averla tutta per me.

Maddalena mi tenne la mano per tutto il tempo mentre andavamo verso il ponte. Agli angoli dei marciapiedi c'erano i venditori di caldarroste e di castagnaccio, che facevano salire nel cielo il fumo denso dei loro fuochi, i vetri dei negozi erano appannati dai respiri delle donne immerse negli ultimi acquisti e quando le porte si aprivano arrivavano fino in strada le canzoni di guerra diffuse dalla radio, l'acqua nelle fontane era gelata, quella del Lambro grigia come il cielo.

Fu all'altezza del ponte dei Leoni che Maddalena si fermò. Aveva il fiatone e le guance accaldate per la corsa. Disse: – Dopo la messa di Natale mangiamo il panettone con la crema. Ho detto a Donatella di tenere una fetta anche per te. Se vuoi, noi andiamo a San Gerardino, a quella di mezzanotte.

La messa di mezzanotte era una cosa da grandi che mi era sempre stata preclusa.

Che a quell'ora una bambina fosse ancora sveglia non stava bene, diceva mia madre, ma era perché voleva esibirsi senza doversi preoccupare di badare a me.

Era un modo per mostrarsi alla città, la messa di Natale. Ci si andava per guardare, farsi guardare e parlar male di chi non c'era. Al duomo i posti erano riservati: davanti stava il segretario del fascio rionale con la famiglia al completo, in divisa, il podestà e le altre autorità cittadine con i carabinieri. Le prime tre file di panche a Natale erano interamente nere.

La sera della Vigilia mia madre venne in camera mia e mi trovò già a letto, con le coperte tirate fino al mento e la luce spenta: – Alzati. Sei grande. Quest'anno in chiesa ci vieni anche tu. E vedi di non addormentarti ché non sta bene –. Rimasi spiazzata e dissi solo: – Devo vestirmi –. La verità era che li avevo già addosso, i vestiti. Mi ero infilata sotto le coperte con le calze, la gonna e la camicetta, per poter uscire di nascosto e raggiungere Maddalena.

Dovetti invece alzarmi e andare con loro. Il cielo fuori era d'inchiostro e l'aria gelida, sospesa. Le strade erano ghiacciate e silenziose, invase dalle luci delle luminarie.

Quando arrivammo in piazza Duomo mia madre disse: – Stai composta –. Negli intervalli di silenzio tra i rintocchi delle campane, i tacchi delle signore risuonavano contro l'acciottolato. Fuori dalla chiesa i signori erano accalcati a fumare i sigari e parlavano di soldi, di guerra e di donne.

Dentro, l'odore dell'incenso era tanto forte da nauseare, il suono cupo dell'organo copriva le brutte parole di chi si vedeva rubare un posto considerato di prestigio.

Ci sistemammo sulla panca in quarta fila, dietro i Colombo.

C'era la famiglia al completo: Filippo, Tiziano, il signore e la signora.

Tiziano si voltò, mi sorrise prima di tornare a cantare in latino verso l'altare. Aveva una voce bellissima e, per un attimo, pensai che dovessero essere cosí gli angeli che in paradiso stavano accanto al Signore.

Il prete indossava i paramenti d'oro, parlava di Dio, di patria e di famiglia. Ogni cosa mi sembrava falsa, inventata: una recita per bambini.

Rimasi in piedi dopo il canto del *Gloria*. Mio padre mi guardò, senza dire una parola.

– Siediti, – sibilò mia madre. – Siediti subito.

Ero l'unica ancora in piedi e tutti tacevano. Si sentivano solo le parole del prete e il riverbero delle ultime note dell'organo. Se me ne fossi andata, mi avrebbe visto la città intera.

– Mi dispiace, – dissi a mio padre, – devo andare.

Sgusciai fuori dalla panca e mi misi a correre. Attraversai la navata centrale calpestando anche il marmo nero che mandava all'inferno. Uscii con il vento che mi tagliava la pelle nuda del viso. Era silenziosa, la piazza del duomo, e scura, piena di freddo. Corsi lungo la discesa di via Vittorio Emanuele, superai il ponte dei Leoni e costeggiai il Lambro per fermarmi, dopo il ponte di San Gerardino. Il chiostro era buio, si coglievano appena le voci sommesse di un canto spoglio, a cappella.

Entrai: la chiesa era piccola, poco illuminata.

Maddalena era in penultima fila con Donatella, la signora Merlini e Luigia. Mi vide e disse: – Pensavo non venissi.

Il fiato mi mancava e sentivo caldo.

– Sei arrivata di corsa? – Rise: – Dài, siediti.

Donatella si strinse di piú contro sua madre per farmi spazio. Luigia mi disse: – Buon Natale.

La messa al duomo era una cerimonia fatta per essere ammirata, per chi ignorava Dio e si preoccupava invece di far notare il proprio fervore a quelli che riempivano le prime file, a cantare meglio e piú forte degli altri. Quella di San Gerardino era fatta per essere ascoltata, per chi di Dio aveva bisogno davvero.

Durante la preghiera eucaristica, anche Maddalena s'inginocchiò. Si rivolgeva al Signore a modo suo, come se Dio fosse seduto accanto a lei, non nell'alto dei cieli.

Aveva deciso di credere e, quando si impuntava, era

cosí e basta. A parlare con Dio forse si sentiva piú vicina all'Ernesto, sapeva che da qualche parte lo stava facendo anche lui.

Il marmo sotto le panche era bagnato dalle suole infradiciate di neve. Il prete diceva: – Questa è una notte di speranza. Mi spostai appena per stare il piú possibile vicino a Maddalena. Poi mi inginocchiai e intrecciai le mani appoggiandoci sopra il mento. Provai a pregare. Pregai per l'Ernesto e perché la guerra finisse. Pregai per il cappellificio e persino per mia madre. Pregai per mio fratello, che non c'era piú e chissà chi sarebbe diventato, se fosse sopravvissuto. E pregai per Maddalena. Con lei riuscivo a credere anche in ciò che fino ad allora avevo ritenuto inverosimile o assurdo, come il fatto che il Signore volesse bene pure a me, malgrado nascondessi anch'io una colpa. Era lei a farmi credere che anche per me potesse esserci salvezza. Era lei a illuminare ogni cosa.

Arrivammo a casa dei Merlini che era l'una passata. Non ero mai stata sveglia tanto a lungo, il sonno era diventato una sensazione opprimente alla base della nuca che rendeva i pensieri leggeri e mi faceva sentire piú grande.

Ci disponemmo intorno al tavolo della cucina, che non aveva tovaglia. Nel frattempo Luigia apriva la confezione blu del panettone Motta e Donatella metteva in tavola la ciotola di vetro con la crema al mascarpone. Si muoveva lenta, come se qualcosa la appesantisse, e parlava poco, rispondeva solo se la madre le chiedeva qualcosa e solo per dire «sí», «no».

Era strana, una casa senza uomini. Mi sembrò piú vuota, piú silenziosa. Persisteva l'odore di terra bagnata perché Luigia aveva preso a fumare le sigarette rollate con le cartine sottili e il tabacco da pochi soldi che piaceva all'Ernesto.

Luigia finí di scartare il Motta e me ne offrí una porzione. Lo chiamava «Pan del Toni» per la leggenda di quell'Antonio che lavorava nella cucina degli Sforza e lo aveva creato solo per rimediare a uno sbaglio. Aveva una voce delicata e triste quando mi disse : – Dimmi se ti piace –. E mi versò nel piatto un cucchiaio di crema.

Sollevò lo stampo di carta spessa che circondava il panettone, disse: – Dài che porta bene, – e lo posò sulla testa di Donatella, come una corona. Lei sorrise appena, lo sfiorò con le dita: – Grazie –. Aveva gli occhi umidi. Mangiammo il panettone con la crema, era buono, ma lasciai da parte i canditi. Poi c'erano i mandarini, perché era Natale, uno per ciascuno. Maddalena tolse la buccia in un'unica striscia e dispose gli spicchi in fila sul piatto prima di mangiarli. Sbucciò anche il mio: – Manda giú pure i semini, ché la storia della pianta non è mica vera, – poi aggiunse, in un sussurro: – Questi però sono meno buoni di quelli dell'altra volta –. Dei mandarini del signor Tresoldi, i pochi che eravamo riuscite a rubare la sera della prova di coraggio e che avevamo mangiato in fretta scappando, nessuna delle due aveva parlato piú. Quando Maddalena finí gli spicchi succhiò la buccia e prese a masticarla increspando le labbra.

– Tieni, tanto a me non va piú, – le dissi porgendole la metà avanzata del mio mandarino. Mi ringraziò e se lo infilò in bocca per intero. Mandò giú con foga, poi raccolse i canditi che avevo scartato e alla fine si leccò i polpastrelli impastati di zucchero: – Sei proprio una sprecona.

– Finiscono sempre troppo in fretta, – disse Donatella giocherellando con ciò che restava del mandarino.

– Che cosa? – chiesi in un fiato.

Maddalena prese tra due dita una buccia e me la schiacciò vicino alla faccia facendomi schizzare il succo negli occhi.

– Ehi, – protestai, e lei rise.

– Le cose buone, – rispose Donatella senza alzare lo
sguardo. – Non durano mai abbastanza, – sbatté in fretta
le palpebre, la voce le tremava. – Se ne vanno e ti lasciano solo il sapore.

– Ma che fai, piangi? – chiese Luigia.

– Sei scema? Ti piangi per un mandarino, ti piangi? – disse la madre, che aveva appena finito di pulire con un dito la
ciotola della crema al mascarpone.

– Va' là che ci son qui io, – disse la Luigia sporgendosi
per abbracciarla. Donatella raccoglieva in silenzio le briciole
dal tavolo. La signora Merlini radunò le bucce del mandarino e le mise nella stufa. – Cosí si sparge il profumo, – disse.

Maddalena indicò fuori: – Madonna, come viene giú! – saltò dalla sedia, i piedi nudi sul pavimento, andò alla finestra,
la aprí e uscí sul balconcino con addosso solo la camicetta.

Fuori avevano preso a cadere fiocchi grandi e spessi,
nitidi contro il cielo nero.

– Chiudete quella finestra ché entra il freddo –. La signora Merlini si strinse nello scialle. Le tende si gonfiava-
no di vento, la stecca di metallo che le teneva dritte urtava
contro il fondo dei mobili e sulle piastrelle della cucina si
scioglieva la neve.

Uscii con Maddalena per guardare la neve che lei cercava di afferrare tenendo i palmi protesi e la lingua di fuori: – È buona.

– E ce n'è già tanta. Attacca bene, – dissi indicando la
strada, dove la luce dei lampioni svaniva in mezzo a fiocchi
che sembravano pezzi di cotone. Scoppiai a ridere. – Non
lo sapevo, che la neve si poteva mangiare.

– Prova, – disse Maddalena. Tirò fuori la lingua e fece:
– Aaaah, – inseguendo i fiocchi con la bocca aperta, quasi
volesse morderli al volo.

– Pazze che siete! Rientrate ché vi beccate un acciden-
te, – urlò Luigia da dentro.

– Ma l'avete visto come cade? È bellissima, – disse Maddalena, – e non si sente un suono –. I piedi nudi le erano
diventati viola, ma lei non ci badava.

Luigia si mise lo scialle sulla testa e ci raggiunse: – Fa un
freddo cane, qui, – prese un respiro. – Sembra che ci siamo solo noi al mondo –. La neve le si poggiava sui capelli,
sulle ciglia lunghe e nere: – All'Ernesto sarebbe piaciuta.

Maddalena mi disse che il giorno in cui i suoi genitori si
erano sposati c'era la neve. La madre aveva dato al padre
il suo velo da indossare come una sciarpa perché faceva
troppo freddo e prima di andare in chiesa lui aveva preparato la zuppa per scaldarsi la gola, assaggiandola si era
scottato la lingua e al momento del giuramento dinanzi al
Santissimo quasi non riusciva a parlare.

– Luigia! Chiudi quella finestra, per carità, – implorò la
signora Merlini. Arrivò sul ciglio del balconcino e si fermò, la luce che veniva dalla cucina disegnava netta la sua
ombra: – Però l'è bella davvero, neh? – Anche lei pareva
felice, gli occhi serrati contro il cielo. Poi, all'improvviso, li abbassò a guardare Maddalena. A guardarla davvero. Allungò un braccio verso di lei e le spazzò via con le
dita la neve dai capelli: – Va' che poi ti viene il febbrone
a stare al freddo –. Maddalena rimase rigida e ferma, con
la bocca aperta e senza emettere un fiato, come se, per un
attimo, avesse visto un fantasma venuto da un ricordo e
temesse di spaventarlo anche solo a respirare. La signora
Merlini non cercò gli occhi di Maddalena e non aggiunse
altro. Tornò dentro a sistemare i piatti.

Rientrammo nel caldo buono della cucina; avevamo i
palmi e le guance paonazzi e i fiocchi si scioglievano contro
la pelle accaldata. Maddalena mi toglieva con le mani che

tremavano quelli incastrati dietro al collo. Aveva le dita
che sapevano di mandarino. – Dov'è Donatella? – chiese
a un certo punto. La sua sedia era vuota. Aveva lasciato in tavola la fetta
di panettone senza neanche toccarla.

Uscimmo sul ballatoio a cercarla, prima Maddalena,
poi io; Luigia e la signora Merlini rassettavano in cucina.
Dal gabinetto veniva la luce bianca della lampadina accesa a formare una striscia oltre la porta socchiusa. Ci av-
vicinammo. Maddalena si muoveva cauta come quando
voleva rubare le lucertole ai gatti del Lambro.

Fu lei a spingere il battente, piano, senza nemmeno un
cigolio.

Donatella era in ginocchio di fronte al buco del ces-
so, le gambe livide sul pavimento, la corona di carta del
panettone ancora in testa, un poco storta, e piangeva. A
ogni respiro si dava un pugno contro la pancia e gemeva
appena. Sputò sulla porcellana sporca, si pulí le labbra col
dorso della mano e ricominciò a prendersi a pugni la parte
bassa del ventre, ancora e ancora, come seguendo il ritmo
di una filastrocca per bambini.

– Ma che hai? – fece Maddalena.

Donatella si girò: aveva la faccia stravolta e l'orrore negli occhi. – Niente. Niente c'ho, – si affrettò a dire tirandosi in piedi e lisciando le pieghe della gonna.

– Stavi piangendo.

– Ma va', – sforzò una risata, – ho solo un po' di nausea.
Non devo aver digerito bene. È questo maledetto freddo –.
Cercò con gesti goffi di ricomporsi la pettinatura: la ciocca
a virgola che aveva sulla guancia le si era disfatta e i capelli
erano pesanti di sudore. La corona di carta le cadde e andò
a finire sul pavimento. Lei la lasciò lí e si fece spazio tra noi
per tornare in fretta verso casa.

Rimanemmo a guardarci sulla porta del gabinetto, io e Maddalena, come cercando l'una nell'altra una spiegazione. Lei disse solo: – L'hai visto anche tu, vero? Annuii, ma non riuscivo a parlare. Avevo la sensazione che avessimo sbirciato dentro un segreto; qualcosa di sporco e misterioso, troppo grande per noi. Qualcosa che non avrebbe portato altro che sventure.

Quando tornai a casa trovai la luce accesa, mio padre sulla poltroncina dell'ingresso con le mani sulle ginocchia e mia madre, ancora nel suo vestito da festa, con le dita tra i capelli, i gomiti sul tavolo e la bottiglia di amaro davanti. Si alzò di scatto e gridò forte: – Come hai potuto fare una cosa del genere? Disgraziata! Dall'appartamento sotto al nostro presero a battere la scopa sul soffitto, urlavano di smetterla di far chiasso.

Mio padre si alzò passandosi i palmi sulle cosce come a togliere la polvere, disse solo: – L'importante è che stia bene. Andiamo a letto adesso, ché è tardi. Al resto ci pensiamo domani –. Chiuse la porta con la chiave, se la mise nella tasca della vestaglia da notte e andò a dormire.

– Tuo padre se ne lava le mani, come al solito, – disse mia madre finendo in un sorso l'amaro rimasto nel bicchiere. – Ma stavolta vedi che ti succede, signorina. D'ora in poi tu non esci piú di casa se non lo dico io. E bada che ci sto attenta.

– Mi dispiace, – provai a dire, con la paura che mi saliva fino in gola, per quella minaccia che, se messa in pratica, mi avrebbe impedito di vedere Maddalena.

– Hai idea della figura che ci hai fatto fare? Sono venuti a chiedere di te dopo la funzione. La signora Colombo e persino il parroco! La gente ci fissava. Dove sei stata?

– Da Maddalena, – dissi in un fiato.

– Da chi? – gridò.
La guardai negli occhi, dissi: – Dalla Malnata. Abbiamo mangiato il panettone. È stato bello.
Mamma rise, una risata che mi spaventò: – Spero tu l'abbia salutata per bene. Perché non la vedrai piú.

Oltre la porta della loro stanza, i miei genitori discussero a lungo. Stesa sul letto con ancora i vestiti addosso, io seguivo le ombre intricate che si muovevano sul soffitto e pensavo alla neve che si scioglieva sulla lingua, a Maddalena che masticava la buccia dei mandarini, a sua sorella che si riempiva la pancia di pugni e piangeva. E mi venne voglia di pregare. Di chiedere al Signore: «Per piacere, proteggili tutti».

Le feste di Natale le trascorsi in casa. I miei genitori andavano fuori per questa o quella cena dai Colombo o da altre «persone di riguardo» e non mi portavano mai con loro.
Anche la fine dell'anno la passai lí, a giocare al *Giro dell'Africa orientale in quarantotto caselle* assieme a Carla, che mi diceva: «Mi spiace tanto, *tuseta*. Questa volta se ti faccio uscire mi cacciano per davvero».
Ma la cosa piú terribile era non poter in alcun modo avvisare Maddalena. E se pensava che l'avessi abbandonata? E se poi non mi voleva piú? Mi consumavo, imploravo, promettevo che non avrei mai piú chiesto niente, nemmeno per il compleanno, se mi avessero fatto uscire anche solo per un'ora. Se mi avessero almeno permesso di scriverle una lettera. Ma non serví.
Poi un giorno, doveva essere il 5 gennaio, la sera prima della befana del duce, il Natale dei poveri, mentre ero seduta al tavolo del salotto a risolvere il problema: «Dieci Piccole italiane comprano mezzo chilo di biscotti per ciascuna

spendendo 2,25 lire...» qualcuno suonò il campanello e la Carla andò ad aprire dicendo: – Deve esser il fruttivendolo. Mi sentii paralizzata. Per poco non feci cadere la boccetta d'inchiostro sul quaderno dei compiti e le corsi dietro. Noè Tresoldi aveva i ricci schiacciati dall'umidità, il mento nascosto da una sciarpa e una cassa di frutta e verdura tra le braccia: – Consegna per la signora Strada.

– Dài pure a me, – disse la Carla. – Quant'è che viene?

– Ciao, – gli dissi, il respiro spezzato.

– Ciao, – disse lui. Poi disse a Carla: – Venti lire e sessantacinque centesimi, signora.

– Signorina, – lo corresse lei con tono benevolo.

Mi accorsi di avere ancora addosso la camicia da notte e la vestaglia di lana. Mi affrettai ad allacciare la cintura in vita, a coprirmi il petto. – Devo dirti una cosa, – lo avvertii.

– Anch'io.

La Carla mi guardò, poi guardò lui. Gli prese dalle mani la cassetta di frutta: – Vado a lasciare questa in cucina, va'. Torno subito coi soldi. Magari a cercarli giusti ci impiego un po' –. Sparí cantando «Dammi un bacio e ti dico di sí. Nell'amor si comincia cosí».

Noè mi fissava con gli occhi stretti.

– Devi dire a Maddalena che mi hanno messo in punizione. Per questo non sono potuta andare da lei. Glielo dici, vero?

Si sfregò i palmi e ci alitò sopra: – Va bene.

– Pensavo che magari sarebbe venuta a cercarmi, ma non è venuta. Nemmeno una volta. Forse pensa che non la voglio vedere piú o che l'ho dimenticata. Ma non è affatto cosí. Le dici anche questo?

– Non è venuta a cercarti per via di quello che è successo, – disse lui tormentandosi la sciarpa con le dita. Tirò su col naso. – Non l'hai saputo, vero?

– Che cosa? – dissi trattenendo il fiato.
– Questo dovevo dirti: l'altro giorno sua sorella si è buttata nel Lambro.
– Lo sapevate. Lo sapevate e non me l'avete detto.

Non avevo mai parlato a quel modo ai miei genitori prima di allora, non avevo mai osato. Ma pensare alla Malnata mi faceva venire il fuoco dentro.

– Non sono cose da bambini, queste, – disse mia madre, pacata, mentre beveva a piccoli sorsi il suo karkadè. Teneva il piattino in una mano, la tazza nell'altra, come nelle illustrazioni dei libri di buone maniere. – E poi non sta bene portare in casa propria le disgrazie degli altri.

Papà rimaneva nascosto dietro al «Corriere della Sera», mamma fece un colpo di tosse, discreto. Lui abbassò il giornale e si passò la lingua sulle labbra, esitando.

– Francesca...
– Voglio andare da lei.
– Cosa? – Mia madre sbatté la tazza sul piatto. Si voltò verso mio padre. – L'hai sentita? Secondo te da chi l'ha imparata questa impertinenza?
– Voglio andare da Maddalena.

Carla era in cucina, si sentiva il rumore delle tazze nel lavello.

– Non se ne parla, – disse mia madre. – Te l'ho già detto: tu quella ragazzina non la rivedi piú.

L'ultima notte dell'anno Donatella si era buttata dal ponte dei Leoni ed era rimasta a mollo nell'acqua per il tempo di un intero rosario prima che riuscissero a tirarla fuori. Ne era uscita nera di fango, con le labbra e la pelle livide, i vestiti inzuppati, gli occhi vuoti, tremante come un gattino appena nato. Non aveva voluto dire niente da allora, nemmeno al prete che era passato a casa a benedirla. Maddalena l'aveva cacciato fuori a calci dicendo che la benedizione serve solo ai moribondi e Donatella non stava morendo. Se ne stava a letto, però, sotto le coperte fino al mento, con la febbre alta e il sudore gelido che la faceva tremare.

Non mi fecero uscire fino all'inizio della scuola, il 9 gennaio, perché l'8 era ancora festa per il compleanno della regina Elena. Quando mia madre mi disse di pregare per la sua salute sperai che morisse per quel giorno in piú che mi faceva passare senza Maddalena. La mattina del 9 uscii prima delle sette e corsi senza quasi mai fermarmi fino a via Marsala. Avevo la gola arsa mentre inghiottivo grossi respiri freddi che tagliavano come il ghiaccio sul ferro, i polpacci e il fianco mi pulsavano di dolore.

Fu Maddalena ad aprire la porta. Anche se faceva freddo aveva i piedi nudi e una camicetta leggera fuori dalla gonna. Gli occhi erano talmente stanchi che sembravano nascondersi dentro le orbite. – Ciao, – disse.

– Ero in punizione.

– Lo so.

– Non potevo venire.

– Lo so.

– Ma volevo. Tantissimo.

– Noè me l'ha detto, – rispose, poi si fece da parte. – Vuoi entrare?

Lasciai cadere la cartella all'ingresso e le andai dietro. La casa odorava delle camere da letto in cui hai dormito troppo, un torpore buio e soffocante, le luci erano spente.

– Come sta Donatella?

– Cosí.

Al capezzale c'era la madre che sgranava un rosario e mormorava una preghiera umida; Luigia cuciva pizzo ai bordi di un velo di tulle sotto la luce di una candela.

Donatella aveva la pelle giallastra, i capelli neri disfatti sul cuscino parevano alghe marcite.

Maddalena mi prese la mano e mi portò in cucina. Ci sedemmo al tavolo e prima che parlasse ebbi il tempo di guardarla. Mi sembrava assottigliata, piena di spigoli anche in viso, come se fosse diventata piú vecchia di colpo.

– Mi ha detto solo che non l'ha fatto perché vuole morire. L'ha fatto perché vuole vivere, ha detto. Ad ogni costo. Secondo te cosa significa?

– Non lo so. – Stavo malissimo a vederla in quello stato. Avrei voluto prenderlo io, il suo dolore.

– Non vuole dirmi altro. Nemmeno se la costringo, – continuò. Quando alzò di nuovo la testa aveva i suoi occhi cattivi. – Qualcuno le ha fatto male. È cosí per forza.

– E cosa possiamo fare?

La Malnata si morse il labbro coi denti, fino a sbiancarsi la pelle, poi disse: – Dobbiamo trovare un'oca e strapparle la lingua.

Parte quarta

La lingua mozzata dell'oca

21.

Eravamo sul marciapiede dall'altra parte della strada davanti al negozio del signor Tresoldi, appoggiati contro la saracinesca della tabaccheria appena ridipinta. Le ombre della notte erano spesse, alla luce dei lampioni i nostri respiri si addensavano nel vuoto in sbuffi che cercavo di afferrare con le mani per scaldarle.

– E che ci dobbiamo fare con un'oca? – disse Matteo grattandosi il naso.

– Con la lingua, non con l'oca intera, – lo corresse Maddalena.

– E che ci devi fare con la lingua di un'oca? – rincarò Filippo.

– La metto sotto il cuscino di Donatella, e la verità la deve dire per forza, – Maddalena alzò le spalle: – È cosí che funziona.

– E come gliela stacchi? – chiesi, avvertendo un fremito.

Tirò fuori un coltello che aveva rubato in cucina: – Facile, – disse. – Con questo.

– Lo sai usare? – Matteo emise un rumore di gola prima di sputare un coagulo di catarro nel poco di neve grigiastra ancora per terra.

– Vuoi vedere? – disse Maddalena e la lama guizzò alla luce del lampione.

Matteo alzò le braccia in segno di resa: – Va bene. Ti credo, ti credo.

Lei mise via il coltello e si levò una ciocca di capelli sci-
volata davanti agli occhi: – Pronti? – Aveva il fondo della
tasca bagnato e pesante, mandava un cattivo odore.
– Che altro hai lí?
– Poi vedi.
– Pronto –. Matteo batté un pugno sul palmo.
– Credo che ci cacceremo nei guai, – disse Filippo.
Maddalena si buttò sul marciapiede di fronte, ma non
andò verso la saracinesca abbassata del fruttivendolo. Cor-
se verso l'ampio portone che dava accesso al cortile inter-
no della palazzina.
– E adesso? – chiesi non appena la raggiunsi.
– Entriamo.
– E come?
– Di solito come si fa a entrare?
– Ci vuole una chiave. E noi non ce l'abbiamo.
La Malnata fece un sorriso. Si voltò, allungando una
mano verso Matteo. Lui si mise a cercare nel cappotto ed
estrasse una grossa chiave piena di graffi. Esitò prima di
fargliela cadere nel palmo.
– E quella dove l'hai presa?
– Allora sei scema? – sbottò Matteo soffiando forte
dalle narici.
Increspai le labbra, offesa, e ribattei: – E perché ti sei
tenuto la chiave se tanto la macelleria non c'è piú?
– Perché lo sapevo che un giorno ci tornavo.
– Se abbiamo la chiave allora non è come rubare, giusto? – disse Filippo da dietro la sua spalla, con gli occhi
larghi come bicchieri.
– Zitti voi, ché ci sentono, – disse la Malnata infilando la chiave nella serratura. Diede due mandate e il
portone si sbloccò. Lei appoggiò i palmi sulle bombatu-
re di legno scuro e spinse. Ci fece segno di sbrigarci, te-

nendo aperto. Filippo e Matteo obbedirono, sparendo nell'oscurità.

Io e Maddalena restammo sole. Si voltò verso di me e mi porse la mano: Vieni? – Ma ci credi davvero? – le chiesi, mentre lei teneva la mano sospesa, in attesa che la prendessi. – Alla storia della lingua, intendo. La Malnata mi guardò come si guardano i bambini. – Certo che ci credo. Perché, tu no? Intrecciai le dita alle sue. – Se ci credi tu, ci credo anch'io.

Attraversammo il corridoio d'ingresso, buio, odoroso di sapone, e superammo la portineria vuota in un silenzio da chiesa. Entrammo in cortile, la terra era nuda e dura di freddo contro le suole, la paura un nodo stretto attorno alla gola. Filippo e Matteo rimasero fermi a guardarsi intorno, le spalle attaccate al muro. La Malnata li superò, poi ci intimò di seguirla.

– No, – Matteo contrasse il viso e si riscosse: – Era casa mia. Lo so io, dove si va.

Maddalena lo fissò, poi si fece da parte.

Matteo mi passò davanti urtandomi di proposito con una spalla, poi continuò a camminare fino al fondo del cortile, dove la luce arrivava poco e c'erano ammassati vecchi bancali fatti a pezzi e mobili da buttare. – Ecco, – disse indicando una cancellata nera con il filo spinato che divideva il terreno del signor Tresoldi dal resto del cortile. Fu allora che sentimmo l'abbaiare del cane.

Facemmo un salto all'indietro e io mi sforzai di non urlare. Aveva occhi arancioni che brillavano, sputava schiuma sporca e snudava i denti bianchi come ossa spaccate infilando il muso tra le sbarre e raspando con le unghie.

Matteo strappò un bastone da una cassa di legno rotta e disse: Adesso lo ammazzo.

– Stai buono, te –. La Malnata gli diede una gomitata nel fianco che lo fece tossire.

Dalla tasca che gocciolava tirò fuori qualcosa di molle e rosso, un liquido scuro le colò lungo la manica.

– E quello che è? – chiese Filippo strizzandosi il naso con le dita.

Maddalena si accostò al cancello, con il cane che ruotava la testa tra le sbarre deformandosi il muso e continuando a ringhiare. La bava scendeva a goccioloni.

– La vuoi? – disse mettendogli la carne davanti.

– Adesso ti mozza la mano.

– Sta' attenta!

– Torniamo indietro, dài –. L'afferrai per l'orlo del cappotto, ma lei si divincolò dalla mia presa. Era vicinissima, adesso, tanto che quella creatura avrebbe potuto anche mangiarle il naso. Un risucchio, poi un respiro affannoso. Il cane annusò il pezzo di carne ringhiando piano. Spalancò la bocca per morderlo e fu in quell'istante che Maddalena alzò il braccio, lo tese dietro la schiena e lanciò oltre il cancello il pezzo di carne, che finí contro il muro e cadde a terra, in mezzo alla polvere. Il cane si staccò dal cancello e si gettò verso il fondo del cortile.

Mi facevano male le ossa e mi accorsi solo allora che avevo battuto i denti tremando per tutto il tempo.

– Dài, andiamo, prima che lo finisca, – disse Maddalena.

– E dall'altra parte come ci arriviamo? – Filippo indicò il filo spinato sopra la cancellata.

– Scavalchiamo.

– Guarda che se ci tagliamo lí non la raccontiamo mica, – disse Matteo facendo rimbalzare il bastone contro una spalla.

– E se usiamo quella? – replicai indicando una vecchia
coperta sporca abbandonata sopra le cassette di legno. – La
possiamo buttare sul filo spinato per passarci sopra.
La Malnata sorrise: – Brava –. Il suo sorriso rendeva
stupide e infantili le coccarde di scuola, i complimenti dei
grandi.
Filippo e Matteo piegarono la coperta in quattro perché lo strato di tessuto fosse abbastanza spesso e non venisse lacerato dalle spine di ferro. Contarono fino a tre
e la fecero atterrare sopra la cancellata. Maddalena fu la
prima a passare. Mise i piedi tra le sbarre e fece un salto schiacciando gli avambracci sulla coperta per darsi lo
slancio. – Funziona, – sussurrò dopo essere arrivata nel
cortile con gli animali.
Matteo le andò dietro, aiutando Filippo a passare. Anche
io provai a scavalcare, ma non avevo abbastanza forza.
Maddalena rimaneva a fissarmi immobile. Voleva vedere se
ce la facevo da sola. Era anche quello un modo per mettermi
alla prova? Indurii la mandibola nel modo che usava lei,
piegai le gambe e saltai. Per un attimo il vuoto, poi, brutale,
il terreno contro una spalla, il fianco, i gomiti. Mi sfuggí un
gemito acuto mentre tutto bruciava e Matteo rideva. – Shh,
– fece la Malnata avvicinando un dito alle labbra. Poi mi
tirò su: – Non ti sei fatta niente, – commentò controllando
i punti in cui mi si era strappato il cappotto.
– Niente, – ripetei, pulendomi la faccia dalla polvere.
– Dài, pelandra. Dobbiamo fare in fretta, – disse Matteo. Il cane teneva fermo l'osso tra due zampe e lo leccava, la carne smangiucchiata.
Avanzammo nella semioscurità piena di ombre. C'erano le gabbie di legno delle galline, palle di fieno, attrezzi
sporchi lasciati contro il muro scrostato, cassette di frutta
distrutte, una vasca piena d'acqua che sapeva di marcio e

il puzzo di quella che, nelle passeggiate in montagna o nei sentieri vicino ai campi, mio padre chiamava *buascia*, avvertendo: «Attenta lí, non la calpestare» e indicava i cerchi, larghi e piatti come coperchi di pentola, dello sterco delle mucche. Sembrava che il fruttivendolo avesse staccato un pezzo di campagna per piantarlo lí, in mezzo a un cortile di città.

In un recinto basso stavano le oche, un bancale inclinato a fare da scaletta e una tettoia ondulata con sotto la paglia umida su cui dormivano, il collo reclinato e il becco nascosto nelle piume.

– Dobbiamo sceglierne una, – disse la Malnata.

– E poi? – chiese Matteo.

– La ammazziamo.

– Tu lo sai come si fa?

– No, – disse la Malnata alzando le spalle. – Ma la gente lo fa tutti i giorni. Mica può essere cosí difficile.

Scavalcò il recinto: – Allora, venite?

Il silenzio mi opprimeva. La raggiunsi, Maddalena era accovacciata vicino alle oche che dormivano, le penne che tremavano per la brezza gelida. – Sono bellissime, – dissi.

– E grasse, – aggiunse lei rigirando il coltello. – Il signor Tresoldi le ingozza per farci pâté di fegato.

Restò a guardare le oche dormire, con il coltello tra le dita e il respiro che le usciva a scatti dalla bocca aperta.

– Sicura di volerlo fare sul serio?

– Devo prendere la lingua, – rispose inghiottendo saliva, gli occhi che le brillavano nel buio. – Lo devo fare per forza.

– Vuoi che la teniamo ferma? – propose Matteo.

– E se quella comincia a starnazzare? – fece Filippo.

– La ammazziamo prima.

– Ma le devi tirare il collo come alle galline?

L'ululato improvviso del cane soverchiò il silenzio. Matteo bestemmiò, Filippo si nascose la testa tra le mani e disse: – Oddio, adesso ci prendono.

Il cane prese a uggiolare, a raspare nella terra con foga, poi ululò ancora, con un rumore sofferente, intenso. La Malnata fece una smorfia: – Vado a controllare. Aspettate qui, – disse passando il coltello a Matteo.

Saltò a piedi uniti oltre il recinto e sparí nel buio, l'orlo del cappotto troppo largo le batteva contro le cosce nude che brillavano alla luce fredda della luna.

Mi voltai. Matteo e Filippo mi fissavano. Si scambiarono un rapido cenno d'intesa, annuirono.

Matteo stringeva il coltello, Filippo gli stava alle spalle e ripeteva: – Adesso. Lo dobbiamo fare adesso, dài.

– Che avete da guardare?

– Abbiamo deciso che te ne devi andare, – disse Matteo.

– Chi l'ha deciso?

– Noi.

– Noi chi?

– Noi tre.

– Non è vero.

– Sí, invece, – disse Filippo.

– Tu con noi non ci puoi stare. Non ti vogliamo.

– Ho sbagliato, quella volta, a scuola. Ma ho fatto la prova dei mandarini. Mi ha perdonato.

– Me ne frego del perdono. Siamo noi che non ti vogliamo, – disse Matteo. – Ce la vuoi portare via.

– Ce l'ha già portata via, – replicò Filippo con una voce acuta.

– Non è vero, – cercai di protestare.

– E che ci facevi a casa sua?

– A noi a casa sua non ci ha fatto mai entrare.

– Che cos'hai tu per essere piú di noi?

– Devi andartene, – sibilò Filippo attaccandosi alla spalla di Matteo, facendo scattare la lingua nel buco che aveva tra i denti. – O giuro che ti ammazziamo.

– No, – dissi, il respiro ghiacciato e faticoso.

– E allora ti conviene cominciare a correre.

Le gambe mi tremavano. – Non voglio lasciare Maddalena. Per nessuna ragione al mondo.

– Non vuole che dici il suo nome.

– A me lo lascia dire.

Le labbra di Matteo si torsero in una smorfia spaventosa. – Mi fai schifo.

Fu velocissimo: il braccio scattò in avanti e tornò parallelo al corpo prima che potessi anche solo avvertire il dolore. Ma adesso la lama gocciolava sangue nella terra dura di ghiaccio.

Mi portai una mano alla guancia, dove si era aperto un taglio che già bruciava.

– Controlla se torna, – disse Matteo, continuando a sorvegliarmi.

Filippo annuí, si sporse verso il recinto: – Ancora no.

In fondo al cortile il cane non la finiva di ululare.

– Abbiamo tempo, allora, – Matteo si passò la lingua sulle labbra. – Non voglio fare male a una femmina, – disse. – Devi solo andare via. Va bene?

Il sangue era vischioso e caldo fra le dita, di colpo le ginocchia non ressero piú il mio peso. Gli occhi mi si inzupparono, vidi tutto annebbiato. Mentre Matteo minacciava: – E se lo dici alla Malnata ti taglio la lingua come all'oca, – scoppiai a piangere.

A farmi paura non era lui, con quel coltello che non sapeva usare. Era il pensiero di come avrei giustificato quel taglio sul viso. Ero riuscita a rubare le chiavi di casa dalla borsetta di mamma appoggiata sul mobile dell'ingresso, a uscire di nascosto, senza fare rumore. Ma che cosa le avrei detto quando la mattina dopo mi avrebbe vista ridotta cosí? Non c'era modo di nasconderlo; era la prova dei miei sotterfugi.

Matteo rideva forte: – *I donn gh'han pront i lacrim come la pissa i can*, – ringhiò. – Vattene, adesso. Lasciaci in pace e smettila di frignare.

Afferrai una manciata di terra e gliela lanciai in faccia. Lui arretrò cercando di pulirsi gli occhi con la manica del cappotto. – Non ho paura di te, – gridai. Le oche starnazzarono tutte insieme e ovunque fu un frullare d'ali, un alzarsi di polvere e di paglia. Sgusciai su un fianco e feci uno scatto per allontanarmi da lui, ma Filippo, che doveva aver sentito le urla, tornò indietro. Si buttò su di me e mi bloccò. Matteo mi strinse una caviglia ripetendo: – Ti taglio la lingua.

Filippo mi mise una mano sulla bocca, gli morsi le dita. Lui lanciò un grido lacerante e mi diede uno schiaffo.

– Che state facendo?

D'un tratto vidi la Malnata.

Intorno a noi, le finestre e i balconi che si affacciavano sul cortile, si stavano accendendo di luci.

– Che state facendo? – ripeté Maddalena con una voce che non le avevo mai sentito prima.

– Ha avuto paura e voleva andare a chiamare i grandi, – disse Matteo con il respiro strozzato.

– La dovevamo fermare.

Non riuscivo né a parlare né a smettere di piangere; premevo forte una mano sulla guancia, sul sangue che ancora scorreva.

La Malnata era rimasta con le gambe larghe, i piedi ben piantati a terra e gli occhi sgranati. Guardò Matteo e Filippo, sembrava la statua di bronzo del monumento ai

caduti, quella con la spada sguainata e un urlo di guerra
per sempre scolpito sulla faccia. Disse: – Andatevene via.
– Aspetta, – balbettò Matteo, – è stata lei. È sua la colpa di tutto.
– Non dovevi farla scendere con noi al Lambro. Non
dovevi, – rincarò Filippo.
Maddalena non sbatteva nemmeno piú le palpebre. Era
dura e pallida, immobile. Continuò: – Adesso sentite di
avere paura. Sentite che state per morire. Adesso vi succede qualcosa di brutto.
Filippo si tappò le orecchie e iniziò a frignare. – Io non
volevo, – si giustificò. – È stato lui, io non volevo.
– Vi farete male. Magari cadete e le ossa vi escono dalle ginocchia. O magari i topi del fiume vi mangiano le dita dei piedi. O scavalcate il cancello e le spine di ferro vi
entrano nella pancia.
Avanzò verso Matteo. Lui arretrava: – È solo una fem-
minuccia. È per te che lo faccio, non lo capisci?
– Sei un bambino invidioso, – disse Maddalena avvicinandosi ancora.
Lui si spostò di lato. Fu allora che lanciò un urlo. Un
urlo acutissimo, agghiacciante. Cadde, si accoccolò tenendosi le mani intorno a una gamba e rivoltandosi in mezzo alla terra con le oche che starnazzavano forte attorno
a lui. Aveva un chiodo conficcato nella pianta del piede,
il sangue schizzava ovunque.

Maddalena si chinò su di me: – Stai bene?
Annuii tirando su col naso e asciugandomi la faccia con
la manica. Presi la sua mano e mi alzai in piedi. Lei mi abbracciò e io le tremai addosso mentre Matteo continuava
a rotolare nella terra e a gridare forte.
Filippo era scappato e già non lo si vedeva piú.

Dalle finestre e dai balconi arrivavano delle voci: «Chi è là? I ladri! Bisogna che qualcuno vada a controllare».
– Dobbiamo scappare, – dissi.
– Non possiamo lasciare Matteo qui cosí, – rispose la Malnata. – E poi non ho ancora preso la mia lingua.
– Ma se arriva qualcuno?
– Nessuno ci fa paura. Ricordatelo sempre. Nessuno.
Le luci erano tutte accese, adesso, e il cortile sembrava il presepe che allestiscono in chiesa a Natale. Sui balconi e alle finestre, le donne si sporgevano curiose, con lo scialle sulle spalle e la retina sui capelli. Dalle scale, il rumore dei passi degli uomini, che scendevano sempre piú in fretta.

Il cancello venne aperto con tanta forza da sbattere, in un attimo un gruppo di maschi con le vestaglie da notte e le pantofole ai piedi si diresse verso di noi, il cane agitava la coda e saltava intorno all'uomo che li guidava: aveva in mano una torcia, nell'altra un fucile da caccia.

– Che diavolo ci fate qui? – disse, la faccia che alla luce della torcia esprimeva la stessa cattiveria che gli avevo visto ogni volta che ci aveva scoperto. Superò il recinto delle oche e ci venne tanto vicino che potei sentirne l'odore ancora caldo del sonno e quello piú forte dell'aglio e del sudore.

Ero sicura che sarei morta. Il signor Tresoldi ci avrebbe tirato il collo come si fa con le galline.

Maddalena gli andò incontro e lo guardò dritto negli occhi: – Volevamo rubare un'oca, – disse, seria. – Poi lui si è fatto male. – Indicò Matteo che uggiolava piano come il cucciolo di un cane. – E allora non siamo riusciti a rubare niente.

Il signor Tresoldi scoppiò a ridere. – C'ha proprio ragione la gente a chiamarti Malnata, a te.

Maddalena teneva dietro la schiena la mano con cui stringeva la mia. Solo io la sentivo tremare. Proseguí: – Mi prendo tutta la colpa. Loro non c'entrano. Ma l'oca mi serve davvero e non se ne parla che vado via senza.

Il signor Tresoldi rise di una risata bestiale.

Gli altri uomini rumoreggiavano senza il coraggio di scavalcare il recinto, ammassati come uno stormo di piccioni davanti alla faina.

– Avete combinato un bel bordello, – disse il signor Tresoldi. – E che ci dovrei fare adesso con voi?

Maddalena continuò a guardarlo negli occhi.

Il signor Tresoldi appoggiò il fucile contro la gabbia delle oche. Disse *sciò* allontanandole con i piedi mentre si avvicinava a Matteo e lo sollevava come un sacco di mandarini pieno di bozzi.

– Andate a dormire, voi, ché qui ci penso io, – disse agli altri uomini.

Qualcuno tentò di protestare, qualcun altro restò in silenzio. Ma nessuno si mosse o accennò ad andarsene.

– Andate a dormire, ho detto, – ripeté il signor Tresoldi. Puntò la torcia sulle donne che si affacciavano ai balconi. – Anche voi, andatevene a letto. Questo è il mio pezzo di cortile e decido io –. Poi si girò verso di noi caricandosi Matteo su una spalla, semisvenuto, con il sangue che colava macchiandogli la vestaglia grigia di sporco. Disse: – Voi invece venite con me.

Nella cucina del signor Tresoldi c'era solo la luce fredda di una lampada nuda appesa al soffitto. Dondolava al vento che entrava dalla finestra socchiusa e ingrossava le ombre sulle facce e sulle pentole di rame appese alla parete nera di fumo.

Noè si alzò per serrare le imposte e tornò a sedersi con aria rassegnata: – Voi siete pazze.

Matteo stava sul divano con il piede fasciato, il tallone

affondato in un cuscino e una coperta all'uncinetto tutta sfilacciata sulle spalle. Non guardava nessuno e non aveva ancora detto una parola, il muco e le lacrime gli si erano incrostati sotto al naso e sulle guance. – Non è grave, – aveva detto il signor Tresoldi medicandolo con la tintura di iodio. – Sei fortunato che le dita ce le hai ancora attaccate. Era un chiodo nuovo nuovo quindi non ti devi preoccupare delle malattie. Il sangue fa impressione, ma è una ferita di poco conto –. Prima di tornare in cortile aveva detto a Noè: – Sorvegliali, ché vado a vedere come stanno le oche.

Noè aveva le palpebre pesanti di sonno, i ricci appiattiti su un lato della testa. Maddalena incideva con le unghie la tovaglia lasciando dei solchi che poi cancellava coi palmi e il silenzio che c'era in quella cucina mi atterriva. Io mi passavo piano le dita sul sangue secco sopra la guancia e, nonostante la paura e il dolore che a poco a poco scemava, quella ferita mi faceva sentire importante.

– Ti fa male? – chiese Noè.

– Questa? – chiesi io. – È una cosa da niente.

Maddalena sorrise appena, senza distogliere lo sguardo dalla tovaglia.

– Che vi è venuto in mente? – disse Noè, ma Maddalena taceva, continuava a tracciare linee con le unghie. Allora lui si dondolò all'indietro sulla sedia e allungò un braccio per prendere una vecchia Bibbia appoggiata sul bordo del camino. La sbatté sul tavolo e sfilò dalla tasca un pacchetto di tabacco. Cominciò a fare gesti lenti, misurati: aprí la Bibbia, strappò una pagina che aveva la carta trasparente, sottilissima, ci versò sopra una manciata di tabacco e cominciò a modellarla con i polpastrelli, a inumidirla con la saliva.

– Devo prendere la lingua dell'oca, – disse Maddalena

mentre Noè accendeva il fiammifero sfregandolo contro
la pietra del camino.
– La lingua? – domandò, espirando fumo. – E a che ti
serve?
– Fa dire la verità. È per Donatella, – rispose lei, – devo capire chi le ha fatto male.
Fu allora che il signor Tresoldi tornò dal cortile lasciando
picchiare la porta della cucina contro lo spigolo del camino.
Poggiò qualcosa di bianco e pesante al centro del tavolo. La lampada oscillava forte facendo impazzire la luce, le
ombre si schiantavano ovunque per la stanza. – Le piume
le devi togliere dalla parte della crescita. In questo senso,
va bene? Inizia dalla coda e alla fine il collo e le zampe.
È chiaro?
Maddalena tolse di scatto le mani dal tavolo e annuí,
seria.
L'oca morta aveva le zampe legate, il becco spalancato
con la lingua di fuori e le ali allargate sulla tovaglia cera-
ta. C'era un buco nel cranio, sozzo di sangue, come se un
paio di forbici le fossero passate dal becco e l'avessero at-
traversato dall'interno.
– Poi la devi sventrare. Magari è meglio se chiedi a qualcuno di bravo. Gli organi, li devi levare. Ma mica li but-
ti, eh. Il fegato è una prelibatezza. Ti piace il fegato a te?
– Certo, – disse Maddalena, – certo che mi piace.
– Bene, – disse il signor Tresoldi e si pulí le dita sui pantaloni sformati. Guardò lei, poi guardò me. – Si chiamava
Elena. Come la regina.
– Chi?
– L'oca. A tutte quante ci do un nome, io. E non me le
scordo mica. Ogni volta che se ne uccide una bisogna dire
una preghiera e affidarla al Signore.
– Ma perché, pure le oche c'hanno un'anima?

– Certo, – fece il signor Tresoldi, serio. – Ogni creatura ce l'ha.

– E la sta dando a me? – chiese Maddalena. – Anche se la volevo rubare? Anche se aveva detto che voleva darci noi in pasto alle oche? Anche se sa della storia delle ciliegie? Il signor Tresoldi prese un respiro, tirò indietro la sedia e si lasciò cadere vicino al figlio con un grugnito. Indicò la Bibbia e disse: – Fammene una anche a me.

Mentre Noè modellava la sigaretta, il signor Tresoldi non la smetteva di studiare Maddalena con gli occhi piccoli, quasi nascosti dalla pelle giallastra. – Ho saputo dei tuoi fratelli, – disse. – Brutta storia davvero. Uno in guerra laggiú in Africa e l'altra che ti cade nel fiume –. Accese la sigaretta e prese a fumarla con avidità, come se la volesse ingoiare. Proseguí: – Rubare non va bene, ma avete un coraggio che fa invidia ai soldati, voi due ragazzine –. Fissò allora anche me e io desiderai sparire.

– Maddalena l'ha fatto solo perché doveva, signore, – dissi con il fiato che mi pesava in gola. – Non ci buchi il cranio con le forbici come all'oca, la prego.

– Ma vedi un po'. Ce l'hai anche tu, quindi, una voce, – disse il signor Tresoldi. La sua risata era forte come la grandine. Spense la sigaretta contro la suola dello stivale.

– Pensavo tu fossi davvero quella che fa rompere la testa, sai? Ci credevo a quello che dicevano in giro e, devo dire, l'ho pensato sempre anche io, – aggiunse, rivolgendosi alla Malnata. – Ma la verità è che tu nella testa della gente ci entri per non uscirne piú. È questo che fai.

22.

Fu Noè a mettere la lingua mozzata dell'oca sotto il cuscino di Donatella. Lo fece mentre era buio pesto e la casa puzzava di sonno da febbre.

Noè sollevò, con una delicatezza di madre, l'angolo del cuscino e infilò lí sotto il fagotto bagnato e rosso, della grandezza di un pugno, dove aveva ficcato la lingua dell'oca.

– Non la svegliare, – sussurrò Maddalena dall'altra parte del letto.

Donatella scuoteva forte la testa e gemeva come i cani che sognano, digrignando i denti, la faccia zuppa di sudore.

– E adesso? – dissi aggrappandomi alla pediera di ottone.

– E adesso aspettiamo, – Maddalena scostò una ciocca di capelli umida di sudore dalla fronte della sorella.

Accanto al letto c'erano le due sedie vuote dove di giorno prendevano posto la signora Merlini e la Luigia, sopra erano appoggiati la Bibbia, il rosario e il velo con l'orlo ancora da sistemare, le forbici da cucito e il rocchetto di filo bianco.

Maddalena si chinò sul viso della sorella e disse: – Chi ti ha fatto male?

Restammo in silenzio, senza respiro. Poi Donatella, con gli occhi stretti, disse: – Suo figlio.

– Suo figlio? – disse Maddalena. – Il figlio di chi?

– Mio figlio, – rispose lei in un fiato. – Il figlio mio e di Tiziano.

23.

Era un giorno di fine gennaio gelido e pieno di sole quando io e Maddalena trovammo Tiziano Colombo a uno dei tavolini fuori dalla caffetteria di piazza dell'Arengario. Mia madre quella caffetteria la chiamava dei «signori» perché i camerieri avevano il cravattino e servivano con i guanti bianchi le paste nelle alzatine d'argento. A lei piaceva andarci in primavera la domenica dopo la funzione per mangiare il gelato nelle coppe di peltro, sentire suonare l'orchestrina e farsi invidiare da quelli che passavano.

Il freddo lasciava vuoti quasi tutti i tavolini sulla strada, tranne quelli ai quali c'era Tiziano assieme ad altri ragazzi e a una signorina con un manicotto di pelliccia e gli orecchini con il corallo. I maschi erano giovani e belli, con la divisa ordinata e i capelli pettinati con cura. Tiziano beveva una cioccolata e rideva, infagottato nel cappotto nero e pesante.

– Ehi, – gridò Maddalena fissandolo accanto alla corda di velluto rosso che delimitava l'area dei tavolini. Io le stavo di fianco e respiravo dal naso per non far vedere che avevo paura.

– Quelle parlano a te? – disse uno di loro, lungo e impacciato.

Tiziano ci vide e con la mano fece segno di avvicinarci. Sembrava a proprio agio.

Maddalena scavalcò la corda senza esitare e in un attimo gli fu davanti, io la seguii in silenzio.

Lei si stropicciò le mani tanto che le nocche spaccate dai geloni ripresero a sanguinare. – Lo so perché non sei piú venuto da mia sorella, – disse.

– Mi dispiace, – rispose Tiziano, – ma non sono cose da bambini.

– Che vuole questa qui da te? – domandò la signorina chinandosi sulla spalla di Tiziano. – Signore, è cosí sporca.

– Fai perdere la testa anche alle ragazzine, adesso? – scherzò un tipo scuro di capelli, con la faccia pulita, guardandoci tanto intensamente che avvampai.

– Non ho voglia di parlare di tua sorella, – disse Tiziano con una espressione triste, – è il passato, ormai.

La notte in cui la lingua dell'oca aveva fatto confessare a Donatella la verità, mi ero ricordata di quella volta che Tiziano le aveva detto di volerla sposare. Aveva ragione la Malnata. Anche se era bello, di lui non ci si poteva fidare.

– Donatella Merlini, si chiama. È la tua fidanzata. È saltata nel Lambro per te. E adesso tu la vuoi buttare come si butta una scarpa rotta? – Maddalena non tremava, la sua voce era chiara e forte come quella degli uomini che parlavano di guerra alla radio.

– Basta con questi discorsi dolorosi, – si inserí un altro, con gli occhiali tondi, che beveva un'orzata, – il suo povero cuore non glielo permette.

– Il suo cuore, eh? – sibilò Maddalena, – lo stesso che lo costringe a stare qui a bere cioccolata impedendogli di andare a combattere in guerra, vero? Il suo cuore *malato*.

Tiziano fece un gesto come per scacciare una mosca.

– Credevo fosse una brava ragazza e l'amavo molto, – disse con aria afflitta, – prima di sapere la verità.

– Bugiardo, – soffiò Maddalena.

– Mi dispiace, ma le cose stanno cosí. Avrei dovuto capirlo prima, con quel rossetto che si metteva... cercava lo sguardo degli uomini, era evidente.

Quella col manicotto arricciò le labbra con disprezzo: – Che vergogna.

– Tua sorella aveva altri uomini. E la prova è quella creatura che presto la gonfierà.

– È figlio tuo, quello lí, – gridò Maddalena e gli altri ammutolirono. – Voleva annegarlo nel Lambro, ma non c'è riuscita. Cosa credi che farà adesso, eh?

Tiziano si limitò a sospirare con sufficienza.

– È quello che succede nelle famiglie in cui manca un padre, – disse un ragazzo coi guanti di lana.

– La donna l'è come un caminetto caldo d'inverno, si accende e tutti i merli le girano attorno per un po' di calore, – disse quello con i capelli scuri. I maschi risero forte.

Maddalena aveva gli occhi piantati a terra, adesso, le spalle che tremavano.

– Non è vero, – dissi inghiottendo la paura e la vergogna. – Siete dei bugiardi.

– Lo capite che un Colombo non può avere a che fare con una rondinella, – disse un altro.

– Cos'è una rondinella? – chiese la Malnata.

– Una da quattro soldi, – disse la signorina col manicotto, – quelle che frullano in un pied-à-terre affittato da un signore e poi ne escono spennacchiate al tramonto.

– Non è vero!

– E poi dicono che gli uomini sono sporcaccioni.

Tiziano fece un cenno come per zittirli, tornò a guardare Maddalena e disse: – Sii gentile. Non vorrai che certe voci si diffondano in giro. Mi dispiacerebbe vedere la signora Merlini ancora piú distrutta di com'è ora. Ha già molti pensieri. Non vorrete essere voi a causarne altri, giusto?

– Che brutta storia, – disse il ragazzo bruno passandosi una mano nei capelli imbrillantinati.

– Davvero una famiglia sventurata, – commentò la signorina accarezzandosi un orecchino, assorta.

Tiziano tirò fuori dalla tasca un mucchio di banconote attaccate con la molla d'argento. Si inumidí l'indice con la lingua ed estrasse un biglietto marrone grande quanto una federa di cuscino: mille lire cosí da vicino non le avevo mai viste.

Lo piegò in due e lo allungò sul tavolo, verso Maddalena: – Prendili.

– Un gesto caritatevole, – disse la signorina sfiorando la mano di Tiziano, che scrollò le spalle come fosse niente.

– I bisognosi non possono essere abbandonati. Nemmeno in casi come questi.

– Quella ragazza se l'è cercata, però.

– Che cuore, Tiziano. Che cuore.

Quando Maddalena alzò lo sguardo aveva la faccia contratta e le ciglia bagnate. Tirò su forte dal naso e sputò addosso a Tiziano, che sgranò gli occhi mentre il grumo di saliva gli scivolava sul cappotto, là dove aveva appuntata la spilla col fascio e il tricolore.

– Presto muori, – disse Maddalena in un fiato, fissandolo nelle pupille scure. – Te lo prometto. Muori come i ratti che si gonfiano nel Lambro e vengono mangiati dai corvi.

Il sorriso si spense sul volto di Tiziano, solo un lieve cedimento prima di tornare a unirsi alla risata degli altri ragazzi, che era scoppiata forte e sonora dopo le parole della Malnata.

Per tutta la strada Maddalena non disse una parola. Stava davanti a me con il suo passo veloce e anche se la chiamavo non rispondeva, le falde del cappotto troppo largo che si aprivano come ali mentre camminava su via Vittorio Emanuele.

La seguivo con il fiato spezzato e pensavo a Donatella, al modo che aveva di tingersi le labbra, al vestito che le metteva in risalto il seno, e in bocca mi tornò quella parola che avevano usato per lei: «rondinella». L'odio che provavo per Tiziano, per le sue parole pacate ed esperte, era inferiore solo a quello che provavo per me stessa perché per un attimo, solo un attimo, gli avevo creduto. Trovammo Noè in cortile che scavava una buca dietro il recinto delle oche. Ci salutò con una mano e sorrise vedendoci arrivare, poi si accorse che Maddalena era furiosa e riprese a scavare. Il cane latrava disperato attaccato alla catena sovrastando il rumore ritmato della vanga contro la terra indurita dal ghiaccio.

Continuando a scavare, Noè mi guardò e disse: – È guarito.

Mi portai una mano alla guancia, là dove Matteo mi aveva tagliata con il coltello la notte in cui, nel cortile dei Tresoldi, eravamo entrati di nascosto. I tagli sul viso sanguinano tanto anche se sono superficiali, mi aveva spiegato. Il mio era un graffio da poco. Quando era ancora fresco mia madre l'aveva visto e si era messa a urlare. «Come te lo sei fatto, disgraziata?» Io le avevo risposto che me l'ero fatta da sola, apposta, per darle un dispiacere, ché se il mio futuro doveva valere solo per un bel viso, allora non lo volevo. Lei aveva increspato le labbra, aveva detto che se si fosse formata una cicatrice nessun uomo mi avrebbe mai sposata, che sarei stata sola per sempre, per colpa mia. «Non fa niente», le avevo risposto. Il taglio si era subito rimarginato. Me ne ero quasi dispiaciuta.

– Anche se rimaneva il segno non importava, – disse Noè in un fiato. – Saresti stata bella lo stesso.

Mi sentii avvampare e non risposi.

– Che fai? – gli chiese Maddalena.

– Scavo una buca.

– Questo lo vedo. Ma perché?

– Ero venuto a prendere un'oca. Poi ho sentito che dietro le cassette di frutta là in fondo c'era cattivo odore e sono andato a controllare.

– E cosa hai trovato?

– Volete vedere?

Il gatto aveva gli occhi bianchi e il ventre aperto. Noè uso la pala per scacciargli le mosche dal muso e disse: – Deve essere entrato stanotte. Vittorio deve averci giocato un po' prima di lasciarlo andare. E lui se n'è venuto a morire qui dietro.

– Chi è Vittorio? – chiesi coprendo la bocca per cercare di non vomitare.

– Il cane. Vittorio Emanuele, si chiama, come il re.

– Ah.

Noè scrollò le spalle: – Papà ha detto di buttarlo via, il gatto. Ma a me spiace.

– È un segno cattivo, – disse Maddalena, – un segno di morte.

– Qui un animale ci muore ogni giorno. Non ci devi credere a queste cose, – replicò Noè.

– Tu non ci credi? – ribatté lei.

– Alle cose che portano sfortuna? No. Sono solo storie che la gente racconta per vincere la paura.

– Nemmeno alla lingua dell'oca, ci credi?

– No.

– Nemmeno a quello che dicono di me?

– No.

Maddalena tacque per qualche secondo, poi prese la pala dalle mani di Noè e disse: – Ti aiutiamo noi.

Lo sollevammo in tre, usando una coperta per non sporcarci e per non perdere per la strada quello che gli usciva dalla pancia. Il corpo del gatto pesava come se fosse stato riempito di sassi anche se sembrava una cosa insignificante, nera e sporca in mezzo alla coperta. Dovetti trattenere il respiro finché non buttammo quel fagotto dentro la buca oltre il recinto delle oche.

– Perché siete venute qui? – disse Noè riponendo la pala nell'armadio degli attrezzi.

– La sai uccidere, un'oca, te? – domandò Maddalena.

Noè si sfregò il mento dove era rimasto un grumo di terra e disse solo: – Sí.

– Fammi vedere come si fa, – disse lei. E in viso aveva l'espressione di quando faceva pensieri cattivi.

– A cosa ti serve? – le chiesi.

Noè recuperò un paio di forbici lunghe, dalla punta affilata: – Vuoi prendere un'altra lingua? – le chiese mentre ci avvicinavamo al recinto delle oche.

– No, – rispose Maddalena. – Voglio solo imparare come si uccide.

Qualsiasi cosa avesse in mente, non fece in tempo. Fu la sera del giorno in cui seppellimmo il gatto che Maddalena ricevette la notizia che cambiò la vita della sua famiglia. Era un telegramma dall'Africa: Ernesto era stato ferito durante l'«eroica», cosí si diceva, difesa del presidio di Passo Uarieu e trasferito all'ospedale militare. Ulteriori notizie sarebbero seguite nei giorni successivi, prometteva il telegramma. Ma era una voce anonima, da burocrati, e per quarantotto ore Maddalena non dormí e non mangiò.

Poi Ernesto stesso scrisse a casa dall'ospedale. Non diede informazioni sulla propria salute, né su un possibi-

le ritorno. Chiese solo di Luigia. Voleva sposarla. Subito.
Prima che fosse tardi.

Fu organizzata ogni cosa per telegramma. Alla fine arrivò l'ultima lettera, coi lati bordati di nero. Luigia era piegata sul tavolo della cucina con il viso nascosto tra le braccia, gli occhiali abbandonati sulla tovaglia e il velo, non ancora cucito per intero, sui capelli. La signora Merlini si era chiusa in camera e si sentivano i suoi strilli fin nella cucina. Donatella dormiva.

– Ernesto aveva paura di morire senza sposarla, – disse Maddalena. Stringeva la lettera come si strizza uno straccio, il respiro soffocato in gola. – Hanno fatto tutto per procura. Un sí dall'Africa, uno da qui, e le cose erano state messe a posto.

Il 24 gennaio la battaglia del Tembien si era conclusa senza vittoria né sconfitta. Ernesto, come molti altri, era morto in cambio di nulla.

Mi avvicinai e le presi una mano, lei la strinse, se la portò alla fronte e la tenne lí a lungo, senza parlare. Quello era il genere di dolore che non si lasciava dire.

24.

Per molte notti sognai le oche. Furono sonni agitati, confusi e pieni di violenza: campi di battaglia ricoperti di morti, come nei quadri sulle guerre napoleoniche che c'erano nei libri di scuola. Ma i soldati al posto dei fucili avevano delle grosse forbici lucide, come quelle che Noè usava per uccidere le oche. E c'era anche lui, con un elmetto verde, sporco di sangue fino ai gomiti, che teneva in mano un'oca rigida, esanime, con la pancia aperta, e diceva a Maddalena: «Devi sentirle nel palmo, le interiora, e scavare fuori con le dita. Attenta a non romperle ché sennò la carne prende un cattivo sapore».

C'era anche Maddalena nei miei sogni, c'era Tiziano Colombo, che aveva il collo lungo e storto, un becco attaccato a quel suo viso bello e pulito. Maddalena gli ficcava in bocca e nel cranio le forbici. Tiziano urlava spurgando un liquido nero dalla nuca, poi l'addome gli si gonfiava e quando si squarciava usciva un bambino dalla pelle viola, come quella di un annegato.

Allora mi svegliavo, bagnata di sudore e di paura, con la voglia di gridare.

Avrei voluto raccontarli a Maddalena, quei sogni, ma lei mi sfuggiva. Dopo la morte di Ernesto si era costruita intorno una barriera che non permetteva a nessuno di attraversare.

Se andavo a cercarla mi rispondeva solo attraverso la
porta. «Domani», diceva. Ma il giorno dopo era uguale a
quello prima.

Venni a sapere dalla Carla che Donatella era scesa dal
letto ed era sfebbrata, che si ingrossava sempre di piú e la
signora Merlini la teneva nascosta, soffocata dalla vergogna. Maddalena aveva scelto di acquattarsi assieme a loro
nel freddo di quella casa ormai vuota.

Senza di lei ogni cosa sembrava aver perso colore, forma
e consistenza. A scuola la professoressa si metteva ad
appuntare le bandierine dell'avanzata italiana sulla cartina
dell'Etiopia, chiamava quella guerra «la piú grande impresa
coloniale che la storia ricorderà», e io la odiavo con tanta
intensità che immaginavo di alzarmi e spaccarle la boccetta
dell'inchiostro sulla fronte.

Non facevo niente, invece, e rimanevo a guardare fuori
dalla finestra aspettando il trillo della campanella.

Alla fine delle lezioni correvo via senza salutare nessuno e trattenermi dall'andare a cercare Maddalena era uno
sforzo doloroso. Attraversavo il centro di corsa, con la cartella che mi sbatteva sulla coscia, la sciarpa che si slacciava
rischiando di farmi inciampare, e andavo da Noè.

Di lui mi piacevano l'odore di terra bagnata, di fatica
e di tabacco e i gesti lenti, precisi, che non sprecava mai
in qualcosa di superfluo. Mi permetteva di stare con lui
mentre lavorava e io gli parlavo di qualsiasi cosa potesse aiutarmi a far tacere il rumore che avevo nelle orecchie. Mi ascoltava e mi poneva solo qualche domanda,
dando da mangiare alle oche o sistemando i barattoli di
conserve negli scaffali piú alti. Anche il signor Tresoldi
imparò ad accettare la mia presenza come si accetta quella delle mosche d'estate e si limitava a chiedere, quando entrava in negozio e mi vedeva ai piedi della scaletta

che passavo una tolla di Italdado a Noè, «Ma non ce li hai, i compiti?»

«Li ho già fatti», rispondevo scrollando le spalle.

Qualche volta Noè mi chiedeva di ripetergli la lezione, diceva che non voleva mi bocciassero: se non fossi piú andata a scuola, sarei andata a disturbarlo anche la mattina. Si annoiava presto, però, di Odisseo che entrava nel cavallo di Troia o di Catullo che nel carme sulla morte del fratello diceva: «*Numquam ego te, vita frater amabilior, aspiciam posthac?*»

Preferiva, quando eravamo in cortile, essere lui a spiegarmi come funzionavano le cose che conosceva bene: come facevano le uova le galline e dove bisognava picchiettare con il dito per capire se erano piene del pulcino o no. Il gallo, diceva, bisognava tenerlo lontano perché di ingravidare le galline sembrava non stancarsi mai.

Noè, anche se parlava di quelle faccende, non diventava mai volgare, e non era restio a parlarmi di cose che altri uomini, come mio padre o i professori a scuola, avrebbero ritenuto vergognose e non adatte a una signorina.

Il vuoto lasciato dalla Malnata bruciava come la vescica di una scottatura profonda; mi aggrappai a Noè e mi nascosi nel suo affetto, fingendo che potesse bastarmi. Per un po' smisi di sognare le oche.

Poi un giorno, nel recinto delle galline, Noè mi sollevò il mento: – Lo sai che sei davvero bella?

Fu cosí veloce che non ebbi il tempo di sottrarmi: avvicinò il viso e premette le labbra sulle mie, delicato, ma fermo. Era bagnato, caldo. La sua lingua cercava la mia che invece era immobile. Il suo respiro e il mio, insieme, avevano un sapore strano, che non mi piaceva, e anche se sentirmelo addosso mi faceva battere il cuore, ebbi paura e lo respinsi. – Che fai? – dissi spingendolo via.

– Scusa, – balbettò arretrando.

Le uova erano cadute per terra e si erano spaccate in un grumo trasparente e giallo. Le galline gridavano forte lasciando ovunque piume bianche striate di sporco.

– Mi dispiace per le uova, – dissi, prima di lasciarlo lí da solo.

Quella notte ricominciarono gli incubi. Mi svegliavo al buio con la paura nella gola, le lenzuola appiccicate alla pelle, e mi ricordavo che le uniche persone cui avrei voluto raccontare quei sogni non erano piú con me. Mi rigiravo nel letto, strusciavo la faccia contro il cuscino e fingevo che fosse la spalla di Noè o il fianco di Maddalena. Poi mi addormentavo.

25

La fine dell'inverno arrivò senza che me ne accorgessi. Il tepore della primavera cercava di farsi spazio in mezzo agli ultimi freddi, si faceva sentire nelle urla dei corvi che si affollavano sugli argini del Lambro, nelle gemme tonde e brillanti come biglie che le cime dei rami gettavano fuori. Quella domenica, il 15 marzo, allacciandomi le scarpe lucide che tagliavano i talloni, mia madre mi chiese:
– Che hai?
Dissi solo: – Niente, – ma avrei voluto dire: «Tutto».
Passai sul ponte dei Leoni con papà, che camminava spedito senza voltarsi, e con mamma, che lo seguiva a poca distanza tenendosi stretta al fianco la borsetta di struzzo. Mi fermai per sporgermi dalla balaustra: il fiume scorreva grigio e muto; un gruppo di anatre riposava sulla riva, tra i ciottoli. Dei Malnati non c'era piú nulla.
La piazza del duomo era piena di sole, il cielo sgombro. I madonnari con la faccia sporca di gesso e i pantaloni bucati disegnavano sul marciapiede i ritratti di Mussolini e di Gesú, accanto un cartello con cui chiedevano «Una lira per l'artista». Le vecchie che andavano verso la chiesa procedevano in gruppi compatti come stormi, vestivano di nero, abiti lunghi con guanti di rete e il capo coperto. Alcune portavano al collo un cammeo con dietro il ritratto di un morto. Di fronte al duomo, con la sua imponente facciata a strisce bianche e nere scaldate dal sole, mamma

tirò fuori dalla borsetta il velo che sapeva di borotalco. Dovemmo spostarci in fretta al passaggio della Balilla del signor Colombo, i sassi sotto le ruote produssero un rumore che costringeva a voltarsi, a farsi da parte e ad ammirarla. Il signor Colombo scese dalla macchina; mio padre si tolse il cappello, mia madre si illuminò tutta, raddrizzando le spalle come una tortora che arruffa le piume.

– Signor Strada, che piacere incontrarla, – disse il Colombo con un largo sorriso. Poi si voltò verso mia madre, sussurrò: – Signora, – con una gentilezza untuosa e lenta che sapeva di arroganza, come se avesse potuto chiamarla in qualsiasi altro modo avesse voluto. Le fece un inchino e i suoi occhi esitarono a lungo su di lei mentre tornava a sollevare la schiena.

Filippo e Tiziano scesero dai sedili di dietro, entrambi pettinati con la riga nel mezzo e con indosso le divise ben stirate, gli stivaloni neri appena passati col lucido. Tiziano aiutò sua madre a uscire dall'auto, lei appoggiò il piede sulla predella, facendo perno sull'ombrellino da sole di mussola bianca che usava come un bastone.

– Buona domenica, signora, – salutò mio padre.

– A voi.

– Mettiamoci vicini, – propose il Colombo ficcandosi i pollici nella cintura nera in vita.

– Splendida idea, – disse mia madre, che lo guardava con occhi adoranti.

– Come sta crescendo vostra figlia! Ormai è una donna fatta, – disse la signora Colombo a mio padre.

– È proprio vero, – rispose lui con un moto d'orgoglio che mi sorprese. Cacciata dentro quegli abiti eleganti, con la gonna di seta e il soprabito, mi sentivo fuori posto, sbagliata. Incrociai le braccia sul petto.

– Non credi anche tu che la Francesca si sia fatta una

bella ragazza? – continuò la signora Colombo poggiando una mano sulla spalla di Filippo. Lui fece una smorfia. Il volto del padre si contrasse in un'espressione di fastidio: – Rispondi a tua madre.
Fu Tiziano a intervenire. Chinò il capo: – Davvero una signorina –. Fece un inchino uguale a quello del padre e, mentre si sollevava, allungò una mano cercando di sfiorarmi l'orlo della gonna: – E che bel vestito –. Io mi scostai con un moto di stizza e gridai forte: – No.
Mia madre inorridí: – Francesca! Non ti ho insegnato a essere maleducata!
– Non voglio che mi tocchi, – sibilai.
– E di cosa hai paura? – rise il signor Colombo. – Mica ti mangia.
– No, – dissi con la stessa durezza che avrebbe avuto in viso la Malnata, – ma magari mi mette dentro un bambino e poi mi fa buttare nel fiume.
A quelle parole tutti ammutolirono e la falsa cortesia scomparve, inghiottita dalle facce pallide.
La prima cosa ad arrivare fu lo schiaffo di mia madre: forte, a mano aperta, sulla guancia. Poi seguirono le parole della signora Colombo: – La mia famiglia con quella squilibrata non ha niente a che fare.
Il signor Colombo mi scrutò con un misto di disgusto e delusione. Filippo si teneva attaccato alla gonna di sua madre mentre Tiziano esibiva un sorriso viscido.
– Una squilibrata, – ribadí la signora Colombo dandoci le spalle per entrare in chiesa, seguita dal marito e dai figli.
– Stupida! – gridò mia madre. – Che cosa hai detto? – Si mise a correre dietro al signor Colombo chiamandolo per nome. Si reggeva il cappellino e correva, come se della reputazione e della dignità, che erano sempre state le sue ossessioni, non le importasse piú.

Le vecchie che ci passavano a fianco indicavano mia madre
e sussurravano: – Va' come la rondinella svolazza al suo nido.
Mio padre si rimise il cappello e guardò per terra. Eravamo davvero stati ciechi per tutto quel tempo? Lui che
voleva rifiutarsi di vedere e io che invece non avevo ancora capito di aver visto fin troppo.
Entrai in chiesa con la mano sulla guancia, che ancora
bruciava. Mio padre mi condusse attraverso la navata e
io prestai molta attenzione a calpestare solo il marmo nero facendo rumore coi tacchi. Quando raggiungemmo mia
madre, che si era sistemata sulla panca dietro i Colombo,
mio padre le si sedette a fianco, come se nulla fosse cam-
biato, ma con lo sguardo fisso all'inginocchiatoio. Volevo
dirgli che non era lui a doversi vergognare, non era lui a
doversi nascondere. Ma rimasi zitta e nel momento in cui
sussurrò «Ringrazia il Signore» mi feci il segno della croce.
L'odore dell'incenso era pesante, il Gesú di bronzo e
oro in fondo all'altare continuava a fissarmi, ma io lo fis-
savo a mia volta e gli chiedevo: – Perché hai permesso che
succedesse tutto questo?
Il prete parlò della resurrezione dei corpi e della salvezza dell'anima e io pensavo a mia madre, che si spogliava
nuda e si lasciava abbracciare e baciare dal signor Colombo, con le sue labbra ruvide che le solleticavano il seno.
Pensavo a Maddalena, a come avrei voluto correre da lei
per raccontarle ogni cosa. Pensavo a Tiziano e al sorriso
viscido che mi aveva rivolto sul sagrato.
Il fedeli si alzarono per ricevere la comunione e le note
dell'organo che suonava il *Panis Angelicus* facevano tremare le vetrate; io mi rifugiai nella cappella della Madonna,
per rimanere sola e accendere una candela: forse in cambio
di una preghiera a sua madre, il Signore avrebbe ascoltato
quel che avevo da dire.

La statua della Madonna era azzurra e oro, aveva una corona di stelle sul capo. Qualcuno le aveva legato intorno ai polsi dei rosari, lei teneva le braccia aperte e pareva guardarmi benevola. Nel profumo caldo della cera, mi inginocchiai e chiusi gli occhi, le mani giunte. Pregai per Maddalena e per la Luigia, che con l'Ernesto non avrebbe potuto ballare piú. Poi pensai ai Colombo, a Tiziano che aveva quasi fatto ammazzare Donatella, e a suo padre che, come lui, usava le donne a suo comodo, si prendeva il piacere come gli fosse dovuto. Non sapevo se si potesse pregare la Madonna per mandare qualcuno all'inferno. Ma anche lei era una femmina; doveva per forza capire.

Presi un respiro profondo, e fu allora che avvertii il puzzo nauseante dell'acqua di colonia, il legno della panca che scricchiolava, fiato caldo contro la mia nuca: – Sono io, tranquilla.

Sussultando aprii gli occhi. Tiziano mi si era inginocchiato a fianco, tentai di alzarmi, ma lui mi accarezzò. – Non dirmi che hai paura, – disse suadente.

Non riuscivo piú a parlare, le sue dita erano fredde, mi carezzavano l'incavo del gomito e giú fino al polso, piano, con dolcezza, poi la sua mano mi scivolò su un fianco. – Non ti faccio niente, – disse come se stesse pregando. Mi sollevò la gonna quel che bastava per farci passare la mano. Non riuscivo a muovermi, nemmeno a pensare. C'era solo il freddo della sua pelle, il tessuto della gonna che si scostava, scoprendomi le cosce. La Madonna continuava a guardare. Le dita di Tiziano mi premettero forte in mezzo alle gambe, fecero un movimento circolare che mi portò addosso un'onda calda e inaspettata di piacere e dolore insieme. Mi aggrappai alla panca.

Tiziano gemette, la bocca al mio orecchio, disse *Shhh* mentre le sue dita cercavano di insinuarsi sotto l'orlo delle mutande. Ero una candela sciolta dal caldo, ero docile tra le sue mani: avrei voluto urlare, scalciare, ma la paura e lo schifo avevano spinto la mia coscienza in un luogo che non potevo raggiungere.

Di colpo si sfilò via e si alzò, appena arrossato in viso. Rimasi cosí, le unghie aggrappate al legno e il disgusto di me che mi invadeva tutta. Con tono mellifluo mi sussurrò: – Quando vuoi ci rivediamo.

26.

Fu Noè a trovarmi. Avevo la faccia insozzata di pianto, le gambe graffiate per essere scesa troppo in fretta dall'argine crollato del Lambro. L'avevo fatto senza pensarci, come se il mio corpo, nel cercare un posto sicuro in cui nascondersi, avesse scelto per me. – Francesca, – mi chiamò dall'alto del ponte. Alzai il viso e lui abbandonò la bici e si precipitò a raggiungermi.
– Che è successo? – disse accovacciandosi.
– Vai via, – gridai tra i singhiozzi. Mi sentivo sporca e sbagliata. Non volevo che mi toccasse. Volevo solo che mi lasciasse sparire.
Lui esitò come se avesse paura di rompermi, poi provò a mettermi una mano sulla spalla e a chiamarmi per nome. Io lo scacciai con rabbia gridando come le oche quando le afferri per il collo. Allora rimase immobile, le braccia sollevate, a respirare dalla bocca e a guardarmi con un'espressione disperata: – Che ti hanno fatto?

Quello che successe dopo, lo venni a sapere dalle voci delle vecchie che la domenica successiva bisbigliavano sul sagrato della chiesa.
Il figlio del fruttivendolo era andato nel Caffè all'angolo di piazza dell'Arengario e aveva detto a Tiziano Colombo, che beveva cioccolata seduto al tavolino di fronte alla vetrina delle paste assieme ai suoi amici, che era «un

fascista di merda e doveva chiedere perdono in ginocchio
a tutte le ragazze che aveva osato toccare». Nessuno aveva capito a chi si riferisse, nomi non ne aveva fatti. Tiziano si era messo a ridere e gli aveva detto di
andarsene, ma Noè l'aveva preso per il colletto e l'aveva
costretto ad alzarsi. Gli aveva detto: «Ti spacco la faccia»
o «Ti faccio finire il naso dentro al cranio», su questo le
vecchie non erano d'accordo.

Il primo pugno era stato Noè a darlo, dopo che Tiziano aveva detto che le ragazze che intendeva lui erano solo «puttane».

Gli altri clienti del Caffè, uomini con il vassoietto delle
paste appeso al mignolo e signore con i cappelli di feltro che
trascinavano lontano bambini con la bocca sporca di zucchero a velo, si erano affrettati verso l'uscita senza fiatare.

Come suo padre, che da giovane con gli amici della *Fa-
migerata*, una delle squadre d'azione piú famose degli anni Venti, andava in giro a picchiare e far ingoiare olio di
ricino pensando di completare l'opera lasciata incompiuta
dal Risorgimento, Tiziano era convinto di usare la violenza con un senso profondo di giustizia, come se fare a botte
fosse una liturgia.

Le vecchie fuori dalla chiesa dissero che quei ragazzi si
erano avventati sul figlio del signor Tresoldi tutti insieme, che Noè ne aveva abbattuto uno facendogli saltare un
dente e aveva dato una gomitata in faccia a un altro, ma
poi era stato colpito con un calcio in pancia ed era caduto
di schiena su un tavolino apparecchiato: erano volate taz-
zine decorate a mano e posate da dolce in argento. Una
volta a terra, non aveva avuto piú scampo.

L'avevano colpito con calci e pugni allo stomaco, in
mezzo alle gambe e sulla schiena. Prima di andarsene, lasciandolo come morto, col sangue e la saliva che gli usciva-

no dalla bocca e dal naso e il respiro che era diventato un fischio, Tiziano gli aveva dato un calcio in faccia e aveva detto: «Schifoso».

Grazie al signor Colombo, che intercedette per loro in Comune e presso il prefetto, nessuno venne punito. La gente smise semplicemente di fare domande sulla faccenda. Persino il signor Tresoldi, che non voleva rischiare di perdere il negozio ottenuto proprio grazie a quelli, dovette starsene zitto, limitandosi a bestemmiare tanto forte che lo si sentiva a due strade di distanza. Quando andai a trovare Noè, suo padre mi cacciò dicendomi che no, non stava bene, e che era colpa mia. Le botte a suo figlio lui le aveva sempre date, ma dalla sua faccia disperata si capiva che questa volta era il primo ad aver temuto per la sua vita.

– Per favore, – implorai, – lo voglio solo vedere. Dirgli che mi dispiace. Che non lo doveva fare.

– Di questa storia so solo che ha fatto sputare sangue a mio figlio, – urlò il signor Tresoldi, ma la sua voce non mi faceva piú paura. Adesso sapevo che il vero pericolo veniva dalle voci suadenti. – Aveva ragione la gente, – disse il signor Tresoldi. – Tu e la Malnata portate male.

Senza piú nessun posto dove nascondermi o fuggire, andai da Maddalena.

Arrivai in via Marsala prima dell'ora di cena, con il fianco che doleva per la corsa e la faccia bagnata dal pianto.

– Sono io, – le dissi attraverso la porta. In risposta ricevetti solo silenzio, ma continuai: – Ti prego. Ho bisogno di te.

Maddalena mi aprí senza una parola: aveva indosso una vecchia camicetta lisa, una gonna a pieghe, mi sembrava tanto cambiata in quei mesi, come se fosse cresciuta di colpo e nulla di quello che indossava le andasse piú bene.

In mano aveva una lettera talmente rovinata che pensai dovesse averla letta fino a consumarsi gli occhi.

Mi assalí un'ondata di affetto feroce e mi accorsi di quanto fosse stato intenso il dolore della sua mancanza solo adesso che era lí intera, dinanzi a me, e diceva: – Vieni. In cucina la signora Merlini preparava il risotto, c'era l'odore forte dello zafferano. Donatella, con un rigonfiamento del ventre che le deformava il vestito, disponeva i piatti sulla tavola. Aveva la faccia spenta, senza cipria né rossetto. Mi guardò con un'espressione assente, poi girò la testa.

Maddalena mi fece strada fino in camera: – Raccontami.

Le dissi tutto. Le parole sgorgavano come acqua dalla crepa di una diga: sempre piú forte, fino a infrangere qualsiasi difesa. Le dissi della vergogna e dello schifo che avevo provato quando Tiziano mi aveva toccata in chiesa, di Noè che mi aveva trovata a piangere sotto il ponte dei Leoni e poi, per colpa mia, era finito a farsi rompere le ossa.

Rimase ad ascoltarmi in silenzio, serrando i denti.

Poi alzò lo sguardo: era quello sicuro e fermo delle occasioni in cui prendeva una decisione dalla quale non si poteva tornare indietro.

Mi allungò la lettera che aveva stretto in mano: era di Ernesto.

Doveva averla scritta pochi giorni prima di aggravarsi, la data era il 22 gennaio, ma il timbro postale era dei primi di marzo. Ernesto era morto da due mesi e adesso Maddalena riceveva una lettera. Doveva esserle sembrato di parlare con il paradiso.

«Sto meglio. Mi curano bene e non salto neanche un pasto. Ti prometto che tornerò presto perché di lasciare te, Luigia e Donatella non ho nessuna intenzione. Siete le cose piú preziose che ho. Ma se Dio volesse chiamarmi a sé, sarai tu a doverti prendere cura di tutte. Sono fiero di te. Sei una ragazza forte. Non lasciare che nessuno ti spenga la fede. Prego per te, Ernesto».

Finii di leggere e Maddalena intrecciò le dita alle mie:
– Mi dispiace non esserci stata. Volevo solo morire. Ma adesso ho capito cosa devo fare. Se vuoi, lo possiamo fare insieme.

27

– Ho smesso di voler essere buona, – disse Maddalena quella mattina di marzo in cui il sole era ancora torbido nel cielo ovattato dal residuo della notte, mentre andavamo al Lambro ad affrontare Tiziano. Era stata lei a dirmi che l'avremmo trovato lí ad aspettarci. Da solo. Era bastata una lettera consegnata a uno dei camerieri del Caffè dell'Arengario con la raccomandazione che arrivasse nelle mani giuste. Un biglietto da cinquanta lire aveva fatto il resto. Non aveva voluto dirmi cosa avesse scritto in quella lettera, solo che aveva firmato con il nome di Donatella.

– Ci sarà, – mi assicurò camminando a fianco a me, in fretta lungo via Vittorio Emanuele, di fronte alle vetrine del panettiere e della merciaia con le serrande ancora chiuse. Le strade erano talmente vuote e indifferenti che mi ricordarono i cimiteri.

– E poi che facciamo?

Maddalena non rispose, infilò una mano nella tasca del cappotto che portava slacciato. Sotto, indossava solo un vestito leggero, le gambe erano livide di freddo.

Tirò fuori dalla tasca le forbici da cucito della Luigia che luccicavano.

– Che ci vuoi fare con quelle? – chiesi con il fiato che mi mancava.

– Poi vedi.

Pensai alle oche di Noè, a lui che diceva: «Il collo lo devi tenere in questo modo, cosí aprono il becco».
- Non puoi.
- Sí che posso.
- E che succede dopo?
- Non mi interessa, - concluse ficcando la mano e le forbici di nuovo in tasca.

Il ponte dei Leoni era là in fondo, uguale a come era sempre stato, ma nello stesso tempo piú grande, imponente quasi, sospeso in quel silenzio d'attesa illuminato dai lampioni ancora accesi. Era un luogo che stava trattenendo il respiro.

Non lo vedemmo quando ci sporgemmo dalla balaustra, ma lo sentimmo cantare.

Scendemmo dall'argine crollato, Maddalena mi prese la mano per aiutarmi ad atterrare sui ciottoli con le mie suole scivolose.

Tiziano era lí, sotto l'arco del ponte, con la sua divisa dai pantaloni ben stirati, la camicia pulita, il cappotto con la spilla lucida. Era talmente sbagliato in quel posto che associavo a ricordi felici, impregnato dell'odore familiare del fiume, che fu come ricevere uno schiaffo.

Cantava a fior di labbra *Parlami d'amore Mariú* e lanciava di traverso i sassi nell'acqua grigia, facendoli rimbalzare.

Maddalena aveva il palmo sudato nonostante il freddo e respirava forte dalla bocca aperta.

Mi mollò e avanzò verso di lui: - Siamo qui.

Tiziano si voltò con un'espressione confusa, poi ci vide e gli uscí un'espressione strana: - E che ci fate voi qui? - buttò a terra i sassi che gli rimanevano.

- L'ho scritta io, la lettera, - disse la Malnata, - devi chiedere scusa per le cose che hai fatto.

- Io non devo chiedere scusa proprio di niente.

– Fai schifo, – disse Maddalena. – E sei un codardo che non ha nemmeno il coraggio di partire per la guerra. Avrei voluto parlare anche io, almeno avvicinarmi a lei. Ma appena guardavo Tiziano sentivo le sue dita e il suo fiato e a muovermi non ci riuscivo.

– Voi non capite. Siete solo due ragazzine, – scrollò le spalle, accarezzò il distintivo col fascio e continuò: – Voi non lo sapete che cosa mi faceva mio padre se lo scopriva. Non potrei mai dirgli di aver avuto un figlio da una ragazza da quattro soldi. Non lo sapete proprio –. Scosse forte la testa e si incupí, come inseguendo pensieri che non potevamo vedere. – E poi era davvero lei, tua sorella, intendo? – disse passandosi la lingua sui denti. – Come faccio a esserne sicuro? Al buio le donne si assomigliano. Gemono e gridano nello stesso modo, sapete? Basta spegnere la luce e ti confondi.

Maddalena lo incalzò: – L'hai convinta a venire con te perché le hai detto che sennò non la sposavi. Poi quando lei ha smesso il sangue hai fatto finta di dimenticare e l'hai scaricata andando in città a dire che era una puttana.

Mi fece paura quella sua fermezza.

Tiziano si leccò le labbra. – Dovrebbero essere come quelle del duce, le donne: sapersi dare senza pretendere. E poi lei quel bambino lo voleva a ogni costo. Ma io non posso, capite? Non posso. Per me hanno già deciso.

– Lo diciamo a tutti quello che hai fatto a Francesca e a Donatella, – urlò Maddalena.

Lui scoppiò a ridere di quella sua risata a piena gola e disse: – Voi non siete niente. Chi vi crederà? – Si avvicinò sprezzante e aggiunse: – Qualsiasi cosa accada è a me che crederanno.

– Andiamo via, – sussurrai a Maddalena. – Ti prego, andiamo via.

Ma lei non si muoveva. Guardava Tiziano con un disprezzo feroce.

– Adesso muori, – disse con la stessa voce di quando aveva parlato a Filippo e Matteo nel cortile del signor Tresoldi. – Adesso senti di avere paura e sai che stai per farti del male. Adesso ti succede qualcosa di brutto. Magari non respiri piú o i ratti ti mangiano gli occhi.

Restai immobile, in attesa, mentre Tiziano rideva e continuava ad avanzare. Qualcosa doveva succedere. Qualcosa doveva succedere per forza. Era vicinissimo, adesso, tanto che nelle narici mi arrivò una zaffata della sua acqua di colonia, la stessa che avevo sentito in chiesa.

– Che c'è? – disse Tiziano. – Stai cercando di farmi paura, Malnata? – Non rideva piú.

Maddalena mi cercò con un'espressione di rabbia e spavento.

Tiziano le arrivò di fronte e la prese per il bavero del cappotto.

– Dovrei avere paura di due ragazzine?

– Sí, – disse Maddalena e lo colpí forte su un orecchio. Tiziano lanciò un urlo straziante e la strattonò portandosi l'altra mano alla tempia, che sanguinava.

Lei si dibatté dentro al cappotto per sfilarselo via e Tiziano cadde all'indietro sui sassi. In mano gli rimase solo il cappotto vuoto.

Tra le dita di Maddalena brillavano le forbici macchiate di sangue. Tiziano si guardò con sbigottimento il palmo insanguinato e sbraitò: – Credete di potermi ammazzare, puttane?

Maddalena si avventò su di lui impugnando le forbici. Tiziano la afferrò per un polso e le rivoltò il braccio dietro la schiena.

Fu il grido di lei a liberarmi dall'idiota immobilità in

cui la paura mi aveva bloccato. – Lasciala, – gridai e mi gettai su di loro.

Per prima cosa arrivò il dolore: uno schiocco contro la mandibola, tanto forte che i denti cozzarono mordendo la lingua. Un fiotto di sangue mi uscí dalla bocca. Crollai a terra con la certezza di essere sul punto di morire. Boccheggiai cercando di respirare mentre Tiziano si massaggiava le nocche.

Abbandonata a terra, con i ciottoli gelati sotto la nuca e la schiena, mi ritrovai a osservare le cose con ottuso distacco.

Tiziano si chinò su Maddalena, le infilò una mano tra i capelli annodandoseli tra le dita e la scosse con violenza. Lei aveva gli occhi gonfi, il sangue che le colava sul viso.

Gridò e prese a graffiargli le mani per cercare di strapparsi dalla sua presa. Scalciava e urlava parole cattive, insulti volgari che non le avevo mai sentito pronunciare.

Lui diede un calcio alle forbici facendole finire in acqua assieme a una manciata di ciottoli. Poi trascinò Maddalena nel fiume.

Le mise una mano sul dorso, l'altra ancora nei capelli, e la immerse sott'acqua. Il grido di Maddalena divenne un gorgoglio di terrore.

Non riuscivo neppure a gridare.

«Gli occhi tuoi belli brillano, fiamme di sogno scintillano» cantava Tiziano tenendole ancora la faccia nell'acqua, spezzando i versi con respiri feroci. «Dimmi che illusione non è. Dimmi che sei tutta per me!» La sua voce aveva perso qualsiasi sfumatura della gentilezza di un tempo. Adesso era frenetica, macchiata di un godimento malato.

Tiziano uscí dall'acqua con i pantaloni e il cappotto fradici, i capelli biondo oro appiccicati alla fronte bagnata. Dietro di lui Maddalena era in ginocchio nell'acqua e tossiva da spaccarsi i polmoni, la faccia piena di sangue e di fango.

Cercai di sollevarmi puntando i gomiti, ma i ciottoli erano viscidi, mi ricacciavano a terra.

Tiziano sorrise. Mi guardò, si passò la lingua sui denti e disse: – Adesso vedi che ti faccio, a te –. Sentii la paura di essere sola in balia di un maschio. Era diversa da quella che mi aveva sempre fatto il signor Tresoldi. Quella veniva dalla pancia, come quando ti raccontano le storie di orchi e di streghe. La paura che mi faceva Tiziano veniva da tutto il corpo, era nera e vischiosa, s'insinuava ovunque.

– Se ci provi ti ammazzo, – dissi.

Forse significava questo, essere grande e donna: non era il sangue che veniva una volta al mese, non erano i commenti degli uomini o i bei vestiti. Era incontrare gli occhi di un uomo che ti diceva: «Sei mia» e rispondergli: «Io non sono di nessuno».

Quello che successe dopo non lo capii. Fu come le cose che accadono nel sonno.

Tiziano prese a tramestare con foga sotto la mia gonna, mi afferrò le mutande e le tirò giú fino alle caviglie, poi mi costrinse ad aprire le gambe premendomi le ginocchia contro le cosce.

Io gridavo, gli riempivo la schiena e le spalle di pugni, ma il suo peso mi bloccava a terra. Poi mi strinse i polsi tenendomi le braccia sopra la testa e dicendomi «Sssh stai ferma».

Avevo schifo di lui, di me, di tutto. Respirava a fatica, con la faccia bianca e le labbra livide, come se l'anima gli fosse stata succhiata via.

– Ho sentito arrivare il diavolo, – aveva detto una voce che veniva dal fiume. Era roca, feroce. Mi girai, Maddalena usciva dal Lambro gattonando tra i sassi e grondando acqua, con il sangue che le scivolava sulla fronte. – Ha detto che adesso il cuore ci pensa lui a strappartelo.

Tiziano aveva riso, mi aveva spinto la lingua in bocca aprendomi con impeto le labbra.

– Coi denti te lo strappa. E ti trascina giú all'inferno, – continuava lei.

Tiziano aveva sollevato il busto e si era ficcato una mano dentro le mutande per cercare quella cosa dura e palpitante che gli spingeva contro il tessuto.

Poi, d'improvviso, come se qualcuno avesse premuto un interruttore, si era fermato, gli occhi erano diventati due pozzi neri, pieni di paura come quelli di un bambino.

Mi era crollato addosso, respirando ancora per pochi istanti sul mio collo: un fiato rovente, a scatti violenti. E aveva smesso di muoversi.

Epilogo
La forma della voce

Era stato il suo cuore malato ad averlo tradito o era stata la Malnata a fermarlo con la sua voce? Tornavo a casa con i piedi inzuppati, la pelle gelata, il sapore del sangue dentro la bocca e continuavo a chiedermelo. Davanti agli occhi avevo la sua faccia deformata da una smorfia, sul corpo ancora le sue mani che mi tenevano ferma. Mi faceva male tutto, persino i denti e le ossa. Eppure, in mezzo alla paura e allo schifo, non pensavo che a Maddalena, alla sua mano che stringeva la mia, a lei che diceva: – Ci vediamo presto.

Il giorno dopo arrivò come una cosa che non avevamo voluto. Pensavo solo a quel corpo affondato nel fiume mentre le ore scivolavano una dentro l'altra, prive di scopo. Avevo il terrore che ci scoprissero. Pregai che ogni altra cosa scomparisse lasciando soltanto noi. Ma le preghiere non servono a tenere a bada il mondo.

Quando Maddalena mi disse: – Dobbiamo dirlo a Noè, cosí ci aiuta a nasconderlo, – le ricerche erano già iniziate.

Il corpo di Tiziano Colombo fu trovato una mattina in cui il cielo era tanto pesante da sembrare di lana bagnata.

Dissero che era stato Filippo, suo fratello, a suggerire di cercare nel Lambro. Sapeva che doveva andare a parlare con qualcuno. Qualcuno che forse gli aveva teso una trappola. Un sedizioso, magari, che voleva colpire al cuore una delle famiglie piú stimate della città per imprimere un solco nel bronzo dorato dello stesso regime cui i Colombo erano sempre stati devoti.

Gli occhi e la lingua gli erano stati mangiati dai ratti e dai corvi, il resto del corpo era zuppo di fango, le narici e le orecchie intasate, tanto che persino la signora Colombo fece fatica a riconoscerlo. Tenne la spilla col fascio dentro un pugno e disse: – Sarà fatta giustizia per l'ignobile crimine, – o, almeno, questo è quello che scrisse il giornale cittadino. Il signor Colombo si dichiarò soddisfatto dell'articolo in prima pagina per cui aveva personalmente scelto il ritratto del figlio: uniforme fascista e sorriso da divo del cinema. Fu amareggiato, invece, che il «Corriere della Sera» gli avesse dedicato solo un insignificante trafiletto in cui il nome nemmeno compariva.

Due giorni dopo, era ormai la fine di marzo, trovarono la lettera col nome di Donatella. Non era stato un comunista ad ammazzare il figlio maggiore dei Colombo. Nemmeno un antitaliano, un traditore della patria, un anarchico, che avrebbe potuto dare alla sua morte lo stesso rilievo di quella di un martire. Era stata una ragazza, una rondinella da niente, orfana di padre e con in grembo un bastardo.

Quando all'alba i poliziotti dell'Ovra suonarono all'appartamento di via Marsala per arrestarla, lei era ancora in camicia da notte e a piedi nudi. La prelevarono cosí, senza nemmeno farle prendere uno scialle, le urla della madre e della sorella svegliarono l'intero palazzo.

La sera stessa mia madre mi disse: – Ho preso i biglietti per Napoli. Domani partiamo, io e te. Andiamo dalla mia famiglia e ci restiamo per un po'.

Con il fiato in gola le chiesi: – Perché? – ma lei non volle rispondermi.

Fu mio padre a dirmi come stavano le cose. I fascisti avevano portato Donatella in caserma e l'avevano interrogata

per ore. Me la immaginavo accartocciata in un angolo, a
sfregarsi le braccia per resistere al freddo mentre un gruppo
di maschi in divisa, che magari avevano anche loro madri
e figlie e sorelle, la trattavano come una bestia, le davano
dell'assassina.
    Perché non fai il saluto romano? Non sapevo bisognasse
farlo per forza. La conoscevi, la vittima? Sí, sí che la
conoscevo, eravamo fidanzati. E poi che è successo? Gli ho
detto del bambino e non ha voluto vedermi piú. Il bambino
di chi? Ma suo, questo è figlio suo, di chi altri? La famiglia
ci ha assicurato che la vittima non era dedita a pratiche di
fornicazione, il figlio deve essere di un altro, di qualcuno
che l'ha pagata per i suoi servizi e non è stato abbastanza
attento. Ma cosa dice? Non è vero! E questa lettera? Non
l'ho mai vista, io! C'è il suo nome sopra, come lo spiega?
Non l'ho scritta io, lo giuro, oh signore, lo giuro.
    Chi avrebbe mai creduto a quella ragazza scarmigliata e
col ventre gonfiato da qualcuno che non era suo marito? Una
donna di malaffare non sa nemmeno che cos'è, la verità.
    Mio padre mi disse anche che la figlia minore dei Merlini
si era messa a gridare le ingiurie piú terribili contro il
morto: che trattava le donne come fossero bestie, che le
usava e le buttava e infilava le mani sotto le gonne delle
ragazzine in chiesa.
    Era allora che era venuto fuori il mio nome e mia ma-
dre aveva deciso che dovevamo partire. Lei non mi aveva
chiesto niente, non mi aveva neppure guardata, come se di
me avesse vergogna. Aveva fatto le valigie, buttando dentro a casaccio i suoi vestiti e i ferri per arricciare i capelli.
    Mentre gridava alla Carla di cercarle il vestito leggero,
coi pois e i sandali, mio padre mi si fece vicino. Ero seduta al tavolo della cucina, davanti a me la fetta di torta
alla vaniglia che mi aveva preparato la Carla, ancora inte-

ra. Erano giorni che non riuscivo a mangiare. Un senso di nausea costante mi aggrovigliava lo stomaco, mi risaliva fino alla nuca, mi intasava i pensieri.

Papà rimase zitto a lungo, a tormentarsi le nocche con il pollice, poi si schiarí la voce. – Quello che dicono, – esordí. Si passò la lingua sulle labbra, inghiottí saliva. – Insomma... quello che dicono che sia successo in chiesa... nella cappella della Madonna... quello che ti avrebbe fatto... – Esitò ancora, prese un respiro. – Mi dispiace che sia successo, mi dispiace tanto. Non è colpa tua, lo sai?

Annuii appena.

– Tu non hai fatto niente. Lo capisci, vero?

– Non voglio andare con mamma.

– Lo so. Lo so, Francesca.

– Perché mi vuoi mandare via?

– Non voglio che tu te ne vada. Non voglio. Ma forse è meglio cosí, sai? Solo per un po'. Te lo prometto. Finché le cose non si sistemano.

Mi sfiorò una spalla. Pareva avesse paura di toccarmi. Crollai su di lui, lo abbracciai, affondando la faccia nel suo petto. Ebbe un sussulto, poi, come se qualcosa dentro di lui si fosse allentato, mi avvolse, premette il mento nell'incavo della mia spalla e prese ad accarezzarmi i capelli. Aveva lo stesso odore delle sue camicie dentro l'armadio, quelle in cui mi rifugiavo quando avevo bisogno di urlare.

Arrivammo in stazione che era ancora buio. Mia madre avanzava incespicando mentre teneva stretta la valigia troppo pesante. Portava il cappellino con la veletta storto sul viso disfatto, il nastro del colletto era slacciato e aveva una lunga smagliatura sulle calze di seta, che percorreva il polpaccio fino al tallone.

Spintonava tra la folla chiedendo «Permesso» con tono timido e stanco. Il vapore bianco dei treni saliva dalle rotaie, fino alla tettoia di ghisa, entrava nelle narici e faceva bruciare il naso. Mia madre mi stringeva il gomito e diceva: – Muoviti, – mi strattonava: – Fai la brava.

Io pensavo a Donatella, che si sarebbe ingrossata come una rana e, da sola, avrebbe odiato sempre di più quella creatura che le cresceva dentro rannicchiata nel buio. Pensavo alla signora Merlini, che, se il Signore le avesse risparmiato il figlio e protetto la figlia, forse sarebbe riuscita a ritrovare uno spazio anche per Maddalena, invece ora non avrebbe fatto altro che rivestirsi di nuovi lutti e seppellirsi ancora di più dentro sé stessa. Pensavo alla casa di via Marsala, alle pentole di rame che gettavano lunghe ombre sulla cucina sempre più vuota.

E pensavo a Maddalena. Alla sua voce quando aveva detto a Tiziano che il diavolo gli stava strappando il cuore, alla sua mano che aveva stretto la mia, all'odore del fiume.

Il dolore era fatto di cose concrete: lo stomaco contratto, la vescica gonfia, il sangue che pulsava in testa e dappertutto. Ero diventata un osso spezzato.

Sapevo che non l'avrei vista mai più. La stavo abbandonando. C'ero anche io al Lambro con lei il giorno in cui Tiziano era morto. Maddalena mi aveva difeso, mi aveva salvata come fanno gli eroi dei romanzi. Erano sempre gli altri a prendersi le colpe per me.

Mi facevo trascinare da mia madre al binario, verso il muso di una locomotiva già in attesa, con il fascio littorio d'ottone. La gente odorava di sonno interrotto e delle prime sigarette. Io avevo la mente vuota, le gambe molli. Fu allora che qualcuno mi chiamò: – Francesca. Aspetta!

Noè si era aggrappato a uno dei pilastri con i cartelli degli orari del treno e si era issato sulle punte dei piedi per farsi vedere oltre la folla.

Mi bloccai, mia madre quasi inciampò cercando di strattonarmi ma io mi sfilai dalla sua stretta e lo raggiunsi.

– Che fai qui?

– Devi venire con me, – rispose in un fiato. – Subito –. Aveva il naso storto e pieno di croste, lividi giallastri intorno agli occhi e una ferita profonda sotto il sopracciglio tenuta insieme dai punti.

– Non posso.

– Sí che puoi.

Nón riuscivo a guardarlo in faccia, ero diventata di vetro. – Non posso, – ripetei ancora.

– Hai paura?

– Certo che ho paura! Tiziano è morto.

– Lo so. Maddalena ha confessato. Ha detto che l'ha ammazzato lei.

– Ma non è vero! – dissi in un fiato. – Tiziano aveva il cuore malato. È morto da solo –. Forse era stata la voce di Maddalena a far fermare il suo cuore. Forse, a ucciderlo, era stata davvero lei.

– Non importa piú, ormai.

Mi sentii come carta di giornale che si accartoccia nel fuoco. – E cosa le succederà adesso?

Noè scosse la testa, rabbioso, poi dovette trattenersi per il dolore. – Non lo so. Ha provato a dire la verità su quello schifoso del Tiziano Colombo, ma non le hanno creduto. È la parola della Malnata che accusa un fascista.

– E io che posso fare?

Gli occhi di Noè si fecero ostili. – Dirla anche tu.

– E perché a me dovrebbero credere?

– Non ci vuoi nemmeno provare? – Noè mandava un

odore di tintura di iodio e pomata che aveva soffocato quel suo profumo di terra che tanto mi piaceva.

– Non so se ci riesco. Io non sono come lei. Con le parole non ci faccio niente –. Per la vergogna e lo schifo di me dovetti nascondere la faccia mentre il treno fischiava forte e mia madre mi chiamava.

– È la mia cambiale, – disse Noè.

– La tua cambiale?

– Per la volta dei mandarini. Me lo devi.

– Non ci riesco.

– Francesca, dobbiamo andare, – gridò mia madre alle mie spalle.

– Nemmeno per lei?

Mi costrinsi a guardarlo, a cercare i suoi occhi dentro quel viso devastato. Devastato per colpa mia.

– Non sono come te e lei, io, – dissi. – Non sono capace. Non ci riesco.

– Non te lo ripeto ancora, signorina. Sali subito sul treno.

Un facchino aveva aiutato mia madre a portare a bordo la valigia e adesso lei si sbracciava dal treno con le sue mani guantate di bianco, mi faceva cenno di raggiungerla.

– Devo andare, – dissi a Noè.

Lui mi fissò in silenzio.

Pensai a quello che sarebbe stato di Maddalena adesso che aveva confessato. Non sapevo che cosa le avrebbero fatto. Quello che sapevo delle esecuzioni derivava dai libri: l'avrebbero decapitata o sarebbe stata impiccata. O forse sarebbe stata rinchiusa in prigione, picchiata coi bastoni dalle suore di un riformatorio in campagna.

Mia madre si sporgeva dal treno e mi allungava una mano. – Attenta allo scalino ché ti rovini il vestito.

Fu allora che mi bloccai. Mi venne fuori senza che me ne accorgessi la postura e il modo di fare della Malnata. La

mia mente e il mio corpo erano pieni di lei, lei mi si river-
sò addosso quando dissi: – Non mi interessa del vestito.
Mi voltai a cercare Noè, ma lui non c'era già piú.
Corsi lungo il binario, con le persone che si disperde-
vano al mio passaggio come scarafaggi. Il treno stava par-
tendo e mia madre gridava.
Lo trovai fuori dalla stazione che prendeva la bici abbandonata contro un lampione. Ritornai a respirare, il
peso che avevo nel petto si sciolse come burro su una
pentola calda.
– Noè, aspetta!

– Davvero ridicolo –. Cosí disse il signor Colombo alla
mia richiesta di prendere la parola. La folla si mise a latra-
re come un branco di cani che vedono arrivare una lepre,
cercando di allontanarmi per non lasciarmi raggiungere
Maddalena. Lei era sola al centro di quella stanza con il
pavimento di marmo bianco e il soffitto affrescato, da cui
un angelo biondo, che stringeva lo stemma dei Savoia, ci
scrutava, indifferente.
Era stata trascinata davanti al podestà, mi aveva detto
Noè, qualcuno l'aveva afferrata per le ascelle, qualcun altro per le caviglie, quasi la legge e le regole degli uomini
non valessero piú nulla e lei fosse una strega da mandare al
rogo. Il podestà, dal suo ufficio con il tricolore e il fascio
littorio, li aveva osservati ammassarsi e, con aria seccata,
aveva detto: «Questo non è un tribunale e non posso certo fare il processo a una bambina. Non funziona cosí». Il
podestà e gli altri in divisa avevano riso di quella gente
convinta che una ragazzina magra e sporca avesse potuto
ammazzare un uomo fatto. Un fascista.
«Questa non è una ragazzina, – aveva risposto la signora Colombo, con la faccia stravolta, – è la Malnata».

– Fatemi passare, – gridai sollevandomi sulle punte per cercare lo sguardo di Maddalena sopra le teste assiepate.

Avevo ancora il fiatone e i capelli spettinati per la corsa in bici, con Noè che pedalava veloce, e poi su per le scale del Comune, in mezzo agli enormi corridoi vuoti dove i miei passi producevano un'eco spaventosa. – Voglio parlare anche io!

– Perché dovremmo ascoltare una ragazzina? Che ci fa qui? Chiamate suo padre.

Sgomitai tra la gente, i carabinieri, gli uomini che pure al chiuso indossavano il cappello e le donne che si aggrappavano alle loro borsette, per raggiungere la Malnata. Le urla e le minacce non mi spaventavano. Noè aveva provato a starmi vicino, ma la folla l'aveva spinto indietro.

Maddalena infine mi guardò. Le sue labbra dicevano: – Sei tornata.

– Non è stata lei –. Mi resi conto solo dopo averle dette, che quelle parole le avevo urlate.

Di fronte a noi era schierata una fila di uomini in divisa tra i quali il signor Colombo che sembrava volerci schiacciare sotto gli stivali. Maddalena, però, fissava tutti coi suoi occhi insolenti e luminosi e anche loro finivano per credere che potesse ucciderli solo con una parola. Persino quegli uomini che avevano il potere di dire «vivi» o «muori» erano atterriti dallo sguardo della Malnata.

Il podestà, con le medaglie appuntate sul petto e la nappina nera che dondolava sulla fronte, batteva forte i pugni sul tavolo per imporre il silenzio, ma la folla continuava a mugghiare: «Il demonio le ha fatto fare quello che ha fatto. È la Malnata. Porta male. Un cosí bravo ragazzo, cosí educato, cosí bello. Un giovane destinato a cose grandi. E lei l'ha buttato nell'acqua come si fa con le bestie».

Nel loro mondo c'erano solo due certezze. La prima: le cose che non si riuscivano a spiegare erano state mandate dal demonio o dal Signore, a seconda che colpissero chi loro ritenevano una persona dabbene o una canaglia. L'altra: non era mai colpa dei maschi.

– Avete ragione voi, – dissi, senza piú fiato, in piedi accanto a Maddalena. – È stata lei.

La sala divenne silenziosa e immota come un ossario.

– E sono stata anche io. Ed è stata anche Donatella e il bambino che le cresce dentro. È stato il Signore ed è stato il demonio. È stata l'acqua del Lambro, i sassi della riva e quel suo maledettissimo cuore. Sono state tutte queste cose, a ucciderlo.

La folla minacciò di esplodere.

– Silenzio, – urlò il podestà.

– Dite che non è successo perché non credete possibile che un uomo come lui possa fare quelle cose schifose a ragazze come noi. E invece è ciò che ha fatto. E non possiamo piú stare zitte.

Maddalena era tanto bella da splendere. Persino cosí, inginocchiata a terra e con la faccia sporca. Si alzò, mi prese una mano. Aveva il palmo sudato e caldo. Mi sorrise. Non mi ero mai sentita tanto forte in tutta la vita.

Ringraziamenti.

Dire «Grazie» è una delle prime cose che mi hanno insegnato da bambina. Piú o meno nel periodo in cui imparavo come attraversare la strada e tentavo di sbrogliare il mistero di come allacciarsi da soli le scarpe. Ma da bambini bisogna dire «Grazie» anche quando non ti va per niente.

Ora sono cresciuta e posso ringraziare chi mi pare e quando conta davvero.

Grazie a chi ha creduto nella mia storia e ha voluto darle la possibilità di essere letta:

Carmen Prestia, la prima a darmi fiducia e a dirmi: «Francesca non mi si staccherà mai dal cuore».

Rosella Postorino, per aver lavorato insieme a me con precisione e grandissima cura. Grazie per aver insistito a farmi aggiungere *quel* dialogo. Grazie anche per le tue storie che mi sono rimaste dentro.

Roberta Pellegrini, per gli inestimabili consigli e l'attenzione ai dettagli.

Maria Luisa Putti, per essere rimasta sveglia fino alle quattro di notte a prenderti cura della mia storia. Hai fatto una specie di magia riuscendo a rendere questo libro la migliore versione di sé stesso. Grazie per la tua ossessione per le parole e per avermi fatto scoprire Pessoa.

Paolo Repetti, senza di te questo libro non esisterebbe. Grazie.

Grazie alla scuola Holden e ai suoi fantastici insegnanti:

Eleonora Sottili per tutte le volte che mi hai detto: «Questa scena funziona!» ma, soprattutto, per quelle in cui: «Questa, invece, assolutamente no».

Federica Manzon per la fiducia e le chiacchierate «dissipadubbi» nell'ufficio del secondo piano.

Marco Missiroli, perché una delle scene cardine di questa storia è nata nel giardino della scuola, nel mezzo della tua fulminante lezione.

Andrea Tarabbia per avermi fatto scoprire *Il gorgo* di Fenoglio, per la gita al Giardino di Ninfa e per i pompelmi.

Grazie Livio Gambarini e Masa Facchini, insostituibili tutor al corso «Il Piacere della Scrittura» dell'Università Cattolica, per aver letto le mie prime, goffissime prove di racconti e avermi insegnato a odiare le scene che si aprono con «La luce che filtra dalle tende». Grazie anche a Martina che ha letto i suddetti racconti e, nonostante questo, ha continuato a darmi fiducia.

Grazie Franco Pezzini, Van Helsing torinese, per avermi accolto nel tuo corso sul fantastico.

Grazie alle mie guide virgiliane nell'inferno del liceo: Chiara Riboldi, Caterina Muttarini, Enrica Jalongo, Rossana e Laura Portinari e Massimiliano Tibaldi.

Grazie ai miei colleghi scrittori e compagni di avventure: Francesco, imbattibile costruttore di mondi, Alice, che splende come le lucciole, Giada, figlia della luna e madre natura, Antonia, sarcastica maghetta e consigliera di *ship*, Sergio, cinico samurai dal cuore d'oro. Non avrei mai potuto chiedere compagni di viaggio migliori, sia sulla terra, sia a bordo di una nave volante.

Grazie, in ordine sparso, agli altri colleghi del College Scrivere B (2019-2021): Vittoria grande, Vittoria piccola, Paola, Simone, Rossella, Giorgia, Lea, Tommaso, Silvia, Mary, Susanna, Benedetta, Davide, Giovanni, Edo. Grazie per essere stati i miei primi lettori e per avermi permesso di leggere le vostre storie. È un po' come essersi scrutati nell'anima a vicenda. Splendete fortissimo.

Grazie ai miei amici con cui non devo mai sentirmi in colpa di essere me stessa: Nico, Rasputin monzese, Ricky, inscalfibile roccia, Mario, mezz'orco mastro birraio, Jacopo, aquila montana, Gabriele, Cheshire Cyborg.

Gaia, grazie perché nei tumultuosi e terribili anni del liceo le storie che scrivevamo insieme e i nostri personaggi pazzi e bellissimi sono stati spesso l'unica cosa che mi ha permesso di essere felice. Li porto sempre nel cuore. Grazie per le pirofile, i lampadari e le notti passate alzate a chiacchierare bevendo Sangue di Giuda.

Beatrice, grazie perché ti sei sempre fatta trascinare ovunque mi portassero le mie pazzie. Grazie per le sessioni di studio disperatissimo, per le ossessioni della nostra adolescenza, per il terribile ritratto che hai fatto di me, in cui assomiglio piú a un ornitorinco che a un essere umano. Grazie per esserci stata sempre.

Grazie alla mia famiglia, ai miei zii e cugini che hanno sempre creduto in me, in particolare Federico, Lorenzo, Marco e Giulia. Vi voglio bene. Mamma e papà, grazie perché avete sempre sostenuto questa bambina che a nove anni ha provato a scappare di casa per andare in cerca di avventure con, nello zaino, il suo libro sugli aztechi e un succo di mirtillo e che da grande voleva fare il cavaliere. Se questo libro esiste è merito dei vostri «C'era una volta», delle tasche bucate e ricucite di continuo per colpa della mia collezione di sassi dalle forme strane, delle volte che mi indicavate una stella in cielo dicendo: «Chissà chi ci abita lí».

Nota al testo.

Le citazioni alle pp. 5, 69 e 226 sono tratte dalla canzone *Parlami d'amore Mariú*, di Cesare Andrea Bixio e Ennio Neri © 1936 - Bixio Cemsa.

La citazione a p. 37 è tratta dalla canzone *'O surdato 'nnammurato* di Aniello Califano ed Enrico Cannio (1915).

Le citazioni alle pp. 58 e 177 sono tratte dal brano musicale *Dammi un bacio e ti dico di sí* di Cesare Andrea Bixio e Bixio Cherubini © 1935 - Bixio Cemsa.

Le citazioni alle pp. 81-82 e a p. 113 sono tratte dal volume di P. Cadorin, *Il Fascio a Monza*, Paolo Cadorin, Vedano al Lambro 2005.

La citazione a p. 85 è tratta dal *Decalogo della piccola italiana*.

La citazione a p. 108 è tratta dal *Preludio* dell'*Aida* di Giuseppe Verdi, su libretto di Antonio Ghislanzoni.

La citazione alle pp. 110-111 è tratta dal discorso che Mussolini tenne il 2 ottobre 1935 quando annunciò la guerra in Etiopia.

Il testo della cartolina citata a p. 135 è tratto da C. Duggan, *Il popolo del Duce*, Laterza, Roma-Bari 2012.

La citazione a p. 161 è tratta da G. Leopardi, *Canti*, a cura di N. Gallo e C. Garboli, Einaudi, Torino 2016.

La citazione a p. 209 è tratta dal carme 65 di Catullo.

Indice

La Malnata

*Questo libro è stampato su carta contenente fibre certificate FSC®
e con fibre provenienti da altre fonti controllate.*

MISTO
Carta da fonti gestite
in maniera responsabile
FSC® C115118
FSC
www.fsc.org

*Stampato per conto della Casa editrice Einaudi
presso ELCOGRAF S.p.A. - Stabilimento di Cles (Tn)*

C.L. 25324

Edizione   Anno

5   6   7   8   9   10   2023 2024 2025 2026